LE RETOUR
DU CANNIBALE

Des histoires qui mijotent

Projet dirigé par Stéphanie Durand, éditrice

Conception graphique et mise en pages : Audrey Guardia
Révision linguistique : Anne-Julie Boucher
En couverture : Montage fait à partir d'illustrations de macrovector,
pikisuperstar, storyset, upklyak / Freepik

Québec Amérique
7240, rue Saint-Hubert
Montréal (Québec) Canada H2R 2N1
Téléphone : 514 499-3000

Nous reconnaissons l'aide financière du gouvernement du Canada.

Nous remercions le Conseil des arts du Canada de son soutien.
We acknowledge the support of the Canada Council for the Arts.

Nous tenons également à remercier la SODEC pour son appui financier.
Gouvernement du Québec – Programme de crédit d'impôt pour l'édition
de livres – Gestion SODEC.

 Canada Conseil des arts Canada Council SODEC
du Canada for the Arts Québec

**Catalogage avant publication de Bibliothèque et Archives nationales
du Québec et Bibliothèque et Archives Canada**

Titre : Le retour du cannibale : des histoires qui mijotent / François Gravel.
Noms : Gravel, François, auteur.
Collections : Titan jeunesse.
Description : Mention de collection : Titan
Identifiants : Canadiana (livre imprimé) 20220009031 | Canadiana
(livre numérique) 2022000904X | ISBN 9782764447550 |
ISBN 9782764447567 (PDF) | ISBN 9782764447574 (EPUB)
Classification : LCC PS8563.R388 R47 2022 | CDD jC843/.54—dc23

Dépôt légal, Bibliothèque et Archives nationales du Québec, 2022
Dépôt légal, Bibliothèque et Archives du Canada, 2022

© Éditions Québec Amérique inc., 2022.
quebec-amerique.com

Imprimé au Canada

TITAN

Collection dirigée par
Stéphanie Durand

Du même auteur chez Québec Amérique

Jeunesse

Fais comme un rat, coll. Titan, 2022.

Le Trésor des Vikings, coll. Petit Poucet, 2021.

La boîte à mots, coll. Petit Poucet, 2021.

Neuro, coll. Gulliver, 2019.

Comment je suis devenu cannibale, coll. Titan, 2018 ; nouvelle édition, coll. Titan, 2021.

La Vraie Vie, coll. Titan +, 2016.

L'Étrange Pouvoir de Léo Langelier, coll. Bilbo, 2015.

Lazare Vollant, coll. Magellan, 2014.

Arthur Prophète, coll. Magellan, 2014.

Le Guide du tricheur 2 – L'École; 2013.

Le Guide du tricheur 1 – Les Jeux, 2012.

Hò, coll. Titan +, 2012.

- • **PRIX ALVINE-BÉLISLE 2013**
- • **FINALISTE, PRIX DU LIVRE JEUNESSE DES BIBLIOTHÈQUES DE MONTRÉAL 2013**
- • **FINALISTE, PRIX DU GOUVERNEUR GÉNÉRAL 2012**

La Cagoule, coll. Titan +, 2009 ; nouvelle édition, coll. Magellan, 2021.

Lola superstar, coll. Bilbo, 2004.

Kate, quelque part, coll. Titan +, 1998.

Le Match des étoiles, coll. Gulliver, 1996.

Guillaume, coll. Gulliver, 1995.

- • **MENTION SPÉCIALE – PRIX SAINT-EXUPÉRY (FRANCE)**

Granulite, coll. Bilbo, 1992 ; nouvelle édition, coll. Bilbo, 2013.

SÉRIE KLONK

12 titres parmi lesquels :

Klonk contre Klonk, coll. Bilbo, 2004.

Le Cauchemar de Klonk, coll. Bilbo, 1997 ; nouvelle édition, Hors collection, 2021.

Un Amour de Klonk, coll. Bilbo, 1995 ; nouvelle édition, Hors collection, 2020.

Le Cercueil de Klonk, coll. Bilbo, 1995 ; nouvelle édition, Hors collection, 2019.

Lance et Klonk, coll. Bilbo, 1994 ; nouvelle édition, Hors collection, 2018.

Klonk, coll. Bilbo, 1993 ; nouvelle édition, Hors collection, 2018.

SÉRIE TOUT PLEIN D'HISTOIRES...

6 titres parmi lesquels :

Au nom de la loi ! – Tout plein d'histoires avec des bandits, des policiers, des lois et des juges, Hors collection, 2017.

Cocorico ! – Tout plein d'histoires qui parlent des langues, Hors collection, 2013.

- • **FINALISTE, PRIX DU LIVRE JEUNESSE DES BIBLIOTHÈQUES DE MONTRÉAL**

Schlick ! – Tout plein d'histoires avec des mots, Hors collection, 2012.

SÉRIE SAUVAGE

Sauvage – Intégrale, coll. Titan, 2010.

6 titres parmi lesquels :

Sales Crapauds, coll. Titan, 2008.

Les Horloges de M. Svonok, coll. Titan, 2007.

FRANÇOIS GRAVEL

LE RETOUR DU CANNIBALE

Des histoires qui mijotent

QuébecAmérique

1
Commençons par
le commencement

J'ai une activité à vous proposer. Elle est très simple, mais elle pourrait vous faire passer le temps de façon amusante pendant quelques minutes, quelques heures, ou même quelques années. Il se pourrait même qu'elle modifie à tout jamais le cours de votre vie. Je peux en témoigner : c'est ce qui m'est arrivé.

Vous pourrez vous y adonner aussi souvent et aussi longtemps qu'il vous plaira. Vous pourrez aussi vous arrêter quand vous le voudrez, bien entendu. Vous êtes libre. Absolument et résolument libre. Tellement libre que vous pourriez en éprouver quelque vertige. Je préfère vous en avertir.

Vous n'aurez pas à prendre un abonnement, à le renouveler ou à payer quoi que ce soit à qui que ce soit. Vous ne serez pas noté et vous n'aurez de comptes à rendre à personne. Vous voulez que cette activité demeure secrète ? Aucun problème. Ce sera à vous de décider.

Il vous faudra participer à un jeu dont vous ne connaissez pas encore les règlements, ce qui est la définition même d'une aventure. Si vous n'avez pas le goût du risque, refermez tout de suite ce livre et trouvez-vous une autre occupation. Ce n'est pas le choix qui manque, et nous ne serons pas de pires amis.

Vous êtes encore là ? Parfait. Je sens que nous allons bien nous entendre.

Tout ce que je vous demande, pour le moment, c'est de vous installer confortablement dans votre fauteuil préféré, de tourner la page et de lire le prochain texte, qui s'intitule *Garder son souffle*. C'est une histoire très courte qui met en scène un adolescent que vous pouvez imaginer comme vous le désirez.

Je vous rappelle que vous pouvez vous arrêter quand vous le voulez.

Vous êtes prêt ? Prenez une grande respiration, on y va !

2
Garder son souffle

Certains plongeurs sont capables de retenir leur souffle pendant plus de dix minutes. Les Bajau, un peuple vivant sur l'île de Bornéo, en ont fait une spécialité. Il faut dire qu'ils passent plus de la moitié de leur vie dans l'eau à pêcher des poissons, des pieuvres et des crustacés. À force d'entraînement, ils peuvent descendre jusqu'à 70 mètres. Selon certains scientifiques, ils pratiquent cette activité depuis si longtemps que leur organisme se serait génétiquement modifié. S'ils continuent à plonger ainsi pendant quelques millénaires, ils deviendront peut-être des hommes-poissons munis de branchies, qui sait ?

Selon ma mère, c'est ce qui risque de m'arriver si je persiste à passer tous mes étés dans la piscine. Elle me répète souvent que j'ai dû être un poisson dans une vie antérieure. C'est sûrement vrai, mais toutes les créatures terrestres pourraient en dire autant, à bien y penser.

La perspective de remonter le cours de l'évolution et de retourner à la mer, d'où nous venons tous, me plairait. Je pourrais vivre en apesanteur, libre, sans frontières, sans murs, sans école.

En attendant, je passe toutes mes journées et une bonne partie de mes soirées dans l'eau, ou plutôt sous l'eau.

Je ne suis pas près de battre les records des Bajau, mais j'y travaille sérieusement. L'été dernier, je suis arrivé à retenir mon souffle pendant trois minutes et demie. Pour un jeune de douze ans ne disposant que d'une piscine hors terre pour s'entraîner, ce n'est quand même pas si mal.

Cet été, ce sera différent. Je ne suis plus un enfant maintenant, mais un adolescent. J'ai grandi et j'ai pris du coffre. Plus important encore, j'ai trouvé un entraîneur déterminé à me pousser jusqu'à l'extrême limite de mes capacités, et même au-delà.

Il s'appelle River – c'est son vrai nom, oui. River, comme rivière. Il m'a raconté qu'il est né dans l'eau, et ce n'est ni une blague ni une figure de style : sa mère a accouché de ses enfants dans une piscine. Elle était membre d'une secte religieuse qui croyait que la naissance et le baptême devaient se faire simultanément.

Bref, River est mon entraîneur depuis le début de l'été. Il m'a fixé des objectifs, imposé des exercices, prescrit des suppléments de vitamines et une diète alimentaire sévère. Je le rencontre chaque dimanche matin, à la piscine municipale. J'ignore comment il s'y est pris, mais personne d'autre que nous n'a accès à cette piscine pendant toute une heure.

Grâce à lui, j'ai fait des progrès spectaculaires : en l'espace de deux mois, j'ai passé le cap des six minutes sous l'eau et je m'apprête à battre mon record.

— Tu es prêt, Henri ? me demande River.

Il est là, chronomètre en main, assis au bord de la piscine. Je sens qu'il est aussi confiant que moi.

Je lui réponds d'un simple hochement de tête : il n'est pas question que j'utilise la moindre parcelle de mon souffle pour lui dire oui.

Je hoche la tête une deuxième fois, je prends une longue, très longue respiration, et je plonge.

2

Imaginons

Je n'ai pas la moindre idée de ce qui se passera par la suite. Le seul moyen de le savoir serait de continuer à écrire cette histoire, mais je n'en ai pas l'intention.

Vous êtes frustré? Je vous comprends. Mais rien ne nous empêche d'imaginer ce qui arrivera.

Les pages précédentes pourraient être le début d'un roman réaliste, au cours duquel Henri réussirait à se dépasser et à devenir champion de la plongée en apnée, non sans traverser quelques épreuves destinées à le faire grandir. Ça pourrait être intéressant.

Vous préférez un roman d'amour? Pourquoi pas? Imaginons un deuxième chapitre où nous ferions la connaissance d'une jeune fille du même âge, mais qui vivrait dans un monde très différent... Une première rencontre qui aurait lieu au fond de l'eau...

L'un n'empêche pas l'autre, évidemment : Henri pourrait vouloir devenir champion pour séduire l'élue de son cœur, et vice-versa…

Vous pouvez continuer sur cette voie si ça vous intéresse. Je ne suis pas très porté, pour ma part, sur les histoires à l'eau de rose. Je les préfère noires. Imaginons, par exemple, que River désire faire mourir Henri en lui fixant un objectif inatteignable. Ce serait un crime parfait, non ? Le tueur convainc la victime de se tuer elle-même ! Hé ! hé !

Et si c'était le début d'une chaîne de crimes du même genre ? Une épidémie de morts « accidentelles » qui affecterait des amateurs de sports extrêmes ?

Chaque jour, dans les journaux, on apprendrait de nouveaux décès spectaculaires : une cordée d'alpinistes frappés par la foudre… Un parachutiste qui aurait joué au parachute russe, variante de la roulette du même nom… Une marathonienne qui aurait relevé le défi stupide de courir le plus longtemps possible sans s'hydrater…

River pourrait être l'auteur de tous ces crimes. A-t-il un mobile ? Aurait-il voulu se venger de ses professeurs d'éducation physique qui l'auraient humilié pendant toute son adolescence ? Est-il une représentation du mal, tout simplement ? À vous de choisir. Comment l'imaginez-vous, au fait ? Physiquement, je veux dire ? Aurait-il quelques traits diaboliques ? Et si, contrairement à toute attente, nous avions affaire à un petit rondouillard sympathique ?

On peut aussi inventer une histoire plus étrange : Henri irait au bout de ses capacités, et même au-delà. Quand il émergerait enfin, ce serait pour s'apercevoir qu'il ne se trouve plus dans une piscine, mais dans un lac (ou dans la mer ? Ou dans une matière autre que de l'eau ?). Il serait entré dans une autre dimension et découvrirait un nouveau monde très différent de celui qu'il a quitté (ou alors très semblable... à quelques nuances près... quelques nuances terrifiantes...).

* * *

Voici donc l'activité dont je vous parlais un peu plus tôt : vous relisez le chapitre précédent si vous en ressentez le besoin, vous refermez ce livre et vous complétez l'histoire à votre guise.

Rien ne vous oblige à écrire quoi que ce soit. Il n'y a pas d'urgence. Il vaut même mieux prendre votre temps. Pensez-y en vous rendant à l'école en autobus scolaire, en courant dans le gymnase durant votre cours d'éducation physique, en sortant les poubelles, en vous coupant les ongles.

Imaginez Henri qui émerge de l'eau et qui se découvre de nouveaux pouvoirs. Imaginez River inventer de nouveaux défis stupides à relever...

Vous n'aimez pas son prénom ? Choisissez-en un autre. Ça ne coûte rien. Vous pouvez aussi le changer de sexe. Pourquoi pas ?

Il n'y a pas de limites à ce que vous pouvez faire, et je vous répète qu'il n'y a rien à gagner – pas de prix, de ruban, de médaille, d'argent, de note dans votre bulletin – rien d'autre que le plaisir d'utiliser votre imagination.

Peut-être aurez-vous un jour envie de prendre des notes, puis de rédiger un chapitre, et un autre, et un autre encore, jusqu'à ce que cela devienne un roman ou un scénario de film. Si c'est le cas, je vous cède tous mes droits. Je suis maintenant trop vieux pour écrire tout ce qui me passe par la tête. Si vous voulez cette histoire, je vous la laisse!

Mais peut-être aussi que ce début ne vous inspire pas? Aucun problème! J'en ai des dizaines d'autres à vous proposer. Le prochain est particulièrement troublant.

4
Le sacrifice

Mon père m'adressait rarement la parole. Tout le monde savait qu'il n'en avait que pour Jacques, son fils aîné. Le soir, quand nous étions réunis à table, c'était à mon frère qu'il racontait ses journées et qu'il prodiguait ses conseils. C'était aussi à lui qu'il comptait léguer son étude de notaire, la plus grande et la plus prospère de notre ville.

S'il parlait à Rose ou à Laure, mes deux sœurs, c'était pour leur faire des compliments sur leur robe et les assurer qu'il leur trouverait un bon parti, le moment venu.

Ma mère n'avait droit qu'à des commentaires sur le potage, et uniquement s'il était trop salé, ou alors pour lui faire remarquer que j'avais les coudes sur la table. Ce n'était jamais à *moi*, mais à *elle* qu'il le reprochait.

Je n'ai jamais su pourquoi il refusait de m'adresser directement la parole. Peut-être que je lui rappelais un mauvais souvenir et qu'il rêvait de me faire disparaître à force de m'ignorer.

Imaginez à quel point j'ai été étonné quand il m'a convoqué à son bureau, le jour de mon dix-huitième anniversaire.

Il y a vingt ans de cela, presque jour pour jour, mais je m'en souviens comme si c'était hier, et peut-être même mieux : j'ai eu le temps de ruminer cette scène. Il faut dire que je n'ai pas grand-chose d'autre à faire.

Je n'ai qu'à fermer les yeux pour revoir en imagination le bureau de mon père : la bibliothèque, chargée de vieux livres recouverts de cuir ; l'immense globe terrestre, une précieuse antiquité qu'il tenait de ses lointains ancêtres ; les classeurs de bois débordant de testaments et d'actes de vente et enfin le bureau massif, en acajou, derrière lequel il a pris place. Et par-dessus tout cela, l'odeur de vieux tabac, qui me prenait à la gorge et m'étouffait.

— Je dois te parler, Clément... Tu t'appelles bien Clément, n'est-ce pas ?

— Oui, monsieur.

— C'est une drôle d'idée qu'a eue ta mère de t'affubler de ce prénom de paysan, mais il faut passer aux femmes leurs lubies. Enfin, *certaines* de leurs lubies... Écoute-moi bien, Clément. Je vais aller droit au but. Tu sais ce que ton frère a fait, n'est-ce pas ? Ta mère et tes sœurs t'en ont sûrement parlé. Il ne faut pas compter sur les femmes pour garder un secret, hélas !

Je savais très bien ce dont il était question. Mes sœurs m'avaient en effet raconté que Jacques avait été entraîné par certains de ses amis à entrer par effraction dans une riche demeure des environs. Ils n'avaient rien volé, à l'exception de quelques bouteilles d'alcool. Le seul problème, c'est que des voisins avaient été témoins de la scène et avaient alerté la police.

Sachant déjà tout cela, je me suis contenté d'acquiescer d'un mouvement de tête, et mon père a poursuivi.

— Il s'agit évidemment d'une bêtise, une simple bêtise comme en commettent tous les jours des milliers de jeunes, et qui a mal tourné.

Son regard s'était déplacé vers le globe terrestre en disant ces mots, puis était revenu vers moi – ou plutôt vers un point situé à quelques pouces au-dessus de ma tête. Tout au long de cette conversation – si tant est qu'on puisse parler d'une conversation – il ne m'a jamais regardé dans les yeux.

— Une simple bêtise, oui, voilà ce que c'est...,
a-t-il repris. Il n'y a pas de quoi fouetter un chat...
Mais cette bêtise pourrait avoir des conséquences
catastrophiques. S'il fallait que ton frère hérite
d'un casier judiciaire, il ne pourrait jamais prati-
quer le droit, tu comprends ? Ce serait une énorme
injustice, pour moi comme pour lui, et même pour
nous tous : Jacques a étudié dans les meilleures
universités, je l'ai envoyé passer ses étés en
Angleterre pour qu'il puisse y parfaire son anglais,
je l'ai nourri de mes meilleurs conseils, et nous
aurions fait tout cela en pure perte ? Il ne saurait
en être question ! C'est pourquoi tu vas t'accuser
à sa place. Tu as la même allure, la même démarche.
On n'y verra que du feu. Jacques te donnera quelques détails pour que tu puisses répondre correc-
tement aux questions des policiers, et le tour sera
joué.

Je suis resté sonné. Tellement sonné que je n'ai
pas réussi à articuler quoi que ce soit d'intelligible.

— Je ne te demande pas un grand sacrifice, va :
je connais d'excellents avocats, qui réussiront sans
problème à faire tomber la plupart des accusations.
Tu viens d'une bonne famille, ce serait ta première
offense... Avec un peu de chance, tu pourrais évi-
ter la prison, ou alors tu n'y serais condamné que
pour une période très courte... Nous saurions nous
montrer reconnaissants, cela va sans dire. Ta mère

m'a dit que tu voulais devenir un artiste peintre, si j'ai bien compris ? Que dirais-tu d'un voyage de perfectionnement en Italie ?

— Est-ce que je peux au moins prendre le temps d'y réfléchir ?

— Qui t'a dit que je te laissais le choix ? Jacques n'ira pas en prison. Tu y vas à sa place. Fin de la discussion.

Qu'est-ce que je pouvais faire ? M'enfuir ? Pour aller où ? Mon père n'aurait eu aucun scrupule à me dénoncer et à lancer les policiers à mes trousses, ce qui aurait empiré mon cas.

J'ai été convoqué devant le juge Thomas, un bon ami de mon père. Ce n'est qu'à ce moment-là que j'ai appris que le riche voisin chez qui Jacques et ses amis s'étaient introduits avait pris les voleurs sur le fait et qu'il s'en était suivi une bagarre au cours de laquelle le pauvre homme avait été tué à coups de tisonnier.

Le vol, la bagarre, le meurtre, on a tout mis sur mon dos. Ni Jacques ni aucun de ses amis n'ont été accusés.

Au lieu d'un voyage de perfectionnement en Italie, j'ai eu droit à un séjour en taule. J'y suis resté vingt ans, ce qui est amplement suffisant pour préparer une vengeance.

5
Comment devenir cannibale

Croyez-le ou non, l'histoire précédente est basée sur des événements qui se sont réellement produits. Elle m'a été racontée par quelqu'un qui connaissait le pauvre type à qui c'est arrivé, un jeune homme qui s'est retrouvé en prison pour permettre à son frère de devenir avocat. À une certaine époque, il était courant que les familles n'aient pas les moyens de payer les études de plusieurs enfants. Il fallait en choisir un, et sacrifier les autres.

Je ne tiens pas cette histoire de la bouche d'un de ses protagonistes, mais par l'ami d'un ami qui a très bien connu le jeune homme en question, et qui m'assure qu'elle est vraie. Mon ami est-il sûr de ses sources ? Aurait-il eu affaire à un fabulateur ? C'est possible. Nous ne le saurons sans doute jamais, mais peu importe : c'est une bonne histoire, non ?

Une bonne histoire qui mérite qu'on l'améliore un peu en inventant quelques détails : j'ai ainsi changé les noms et le métier des protagonistes, imaginé le bureau du père, avec son globe terrestre et ses meubles en acajou (j'aurais dû ajouter une collection de diplômes encadrés sur le mur, tiens...). J'ai aussi dramatisé en ajoutant un meurtre là où il n'y avait eu qu'un simple cambriolage, ce qui m'a permis d'allonger la peine de prison, pendant laquelle mon personnage peaufinera un plan de vengeance d'une grande cruauté... plan que je ne connais pas encore. S'il vous plaît de l'imaginer, allez-y!

Je lui ai aussi inventé deux sœurs : l'une d'entre elles pourrait prendre la défense de Clément et aller le voir en prison, tandis que l'autre se rangerait dans le camp de Jacques...

On a de la matière pour une minisérie, non? On pourrait même la développer sur quelques années!

* * *

J'ai écrit il y a quelques années un bouquin intitulé *Comment je suis devenu cannibale.* Contrairement à ce que le titre pouvait laisser croire, je n'y décrivais pas mon nouveau régime alimentaire. Il s'agissait plutôt d'un livre de recettes... pour écrire des romans. Je répondais à plusieurs questions que les lecteurs m'ont souvent posées : les écrivains sont-ils riches? Comment trouvent-ils leurs idées? Faut-il d'abord faire un plan? Comment trouver un éditeur? Comment trouver un titre accrocheur?

Comme j'ai publié plus de 150 livres à ce jour, je croyais que je pourrais révéler quelques trucs à propos de ce métier que je pratique depuis 40 ans et que mes idées à ce sujet intéresseraient peut-être tous ceux qui, sans nécessairement vouloir devenir écrivains, se sont un jour ou l'autre posé ce genre de questions. Je voulais aussi montrer que l'écriture d'un roman est une activité qui exige beaucoup de travail et de patience, mais qui procure également à ceux qui s'y adonnent des plaisirs incomparables. Pour certains, elle devient même une drogue dont on ne peut plus se passer. C'est même la drogue idéale : elle ne coûte presque rien, elle est parfaitement légale et n'a que très peu d'effets secondaires.

Il n'est pas besoin de suivre des cours ennuyeux pour écrire un roman, ni de se procurer une carte de membre d'une association quelconque, ni de payer de cotisation à qui que ce soit. Il suffit d'ouvrir son ordinateur ou de prendre un crayon et quelques feuilles de papier et de proclamer : « Je suis écrivain ! »

Vous me direz qu'il faut aussi écrire un livre ? C'est vrai. Simple petit détail.

Si vous avez vécu une existence palpitante débordant d'aventures extraordinaires, vous n'aurez aucun mal à y puiser des anecdotes inspirantes. Si votre vie est banale, ce qui est le cas de l'écrasante majorité des gens, il vous faudra devenir cannibale, comme moi : vos parents, vos amis, vos professeurs, vos voisins, le chauffeur de l'autobus scolaire ou le pharmacien du coin de la rue peuvent très bien se transformer en personnages pour peu que vous les fassiez cuire dans la grande marmite de votre imagination.

Pour ma part, je ne m'en lasse pas.

* * *

La prochaine histoire est une de celles qui mijotent dans ma marmite depuis un bon moment. J'en fais même des cauchemars.

6
Le chalet

— Tu as entendu aussi bien que moi ce qu'a dit le notaire, Max : personne ne peut t'obliger à accepter cet héritage empoisonné. Maître Légaré nous a conseillé d'y renoncer, et c'est une très bonne idée. Tu ne peux pas prendre possession de ce chalet sans mon accord, de toute façon : tu es mineur.

— Je comprends tout ça, papa, mais je ne vois toujours pas pourquoi je refuserais de devenir propriétaire d'un chalet. Ce serait complètement fou ! Ça ne me coûterait rien, pas un sou ! Mon parrain me l'a *donné* ! Ce n'est pas parce que tu ne t'entendais pas avec ton frère que...

J'aurais voulu ravaler cette dernière phrase, mais il était trop tard. Mon père est devenu fou de rage.

— Ce n'est pas une question d'aimer ou de ne pas aimer mon frère ! Laurent était un escroc, un bandit, un voleur, et peut-être un tueur ! Dieu sait si on ne trouverait pas quelques cadavres enterrés derrière ce chalet si on creusait quelques trous...

Je n'ai jamais compris l'origine de la brouille qui avait opposé mon père et Laurent, son aîné de quelques années. On m'a souvent raconté qu'ils étaient inséparables, jadis. Mon père n'avait d'ailleurs pas hésité à le désigner comme mon parrain. Quand j'étais enfant, je le voyais souvent à la maison. À Noël et à mon anniversaire, il m'offrait toujours des cadeaux extraordinaires : une balle de baseball signée Babe Ruth (fausse, selon mon père), une pierre précieuse (*semi-précieuse*, paraît-il), un cobra empaillé qui avait mystérieusement disparu de ma chambre...

Et soudainement, quand j'ai eu dix ans, plus rien. Son nom n'était plus jamais prononcé à la maison, ou alors c'était pour me faire part de rumeurs selon lesquelles il était devenu contrebandier, ou trafiquant, ou pire encore. Ces rumeurs me parvenaient le plus souvent de ma mère, qui les prononçait à voix basse, en l'absence de mon père. J'ai vite compris que j'avais intérêt à ne jamais en parler avec lui.

Nous avons fini par apprendre que l'oncle Laurent était mort dans un pénitencier américain, à la suite d'une émeute dont il aurait été l'instigateur.

Quelques semaines plus tard, nous étions convoqués chez le notaire, mon père et moi. Ma mère aurait pu nous accompagner, mais elle avait préféré rester à la maison.

Le notaire nous avait alors expliqué que l'oncle Laurent avait rédigé un testament quelques semaines avant sa mort, qu'il l'avait fait homologuer en bonne et due forme par un avocat américain et que cet avocat avait finalement relayé le document au notaire Légaré, qui s'occupait des affaires de notre famille depuis toujours.

C'est ainsi que j'ai appris que j'étais le légataire universel de mon oncle Laurent, dont l'héritage se résumait à un chalet perdu, tout près de la frontière américaine.

C'est vers ce chalet que nous nous dirigions, mon père et moi, quand nous avons eu cette conversation. J'avais réussi – de justesse – à le convaincre d'aller y jeter un coup d'œil, dans l'espoir de le faire changer d'avis.

Ma mère, encore une fois, avait préféré rester à la maison.

Il nous avait fallu emprunter une interminable route secondaire, où le GPS ne nous était plus d'aucun secours. Nous nous étions ensuite engagés sur un chemin privé qui n'avait pas été entretenu depuis longtemps, et qui était devenu si étroit que des branches risquaient d'abîmer la peinture de la Jeep. Nous avons dû l'abandonner et continuer à pied.

Nous n'avons heureusement pas eu à marcher trop longtemps : le chalet se trouvait tout près de là, annoncé par un panonceau de bois qui avait souvent servi de cible aux chasseurs.

Ce que le notaire nous avait décrit comme un chalet aurait à peine mérité le nom de bicoque, ou même de cabane à outils.

La porte était cadenassée, mais le bois du chambranle était si pourri qu'il avait suffi d'un coup d'épaule pour l'ouvrir. On aurait pu tout aussi bien entrer par la fenêtre, dont les carreaux étaient brisés et la moustiquaire, éventrée.

Le « chalet » ne comptait qu'une seule pièce dans laquelle se trouvait une chaise de bois, une table bancale, un lit au matelas défoncé, un fanal, une vieille boîte de conserve qui avait servi de cendrier et qui débordait de mégots, un poêle à bois et de nombreuses toiles d'araignée. On aurait dit un camp de chasse, ou alors la cabane d'un chercheur d'or, dans un vieux film de cow-boys.

— C'est étrange qu'il n'ait pas été dévalisé par des rôdeurs ou qu'on n'y ait pas mis le feu, a dit mon père. C'est le sort qui attend généralement les chalets abandonnés. Peut-être aussi que les éventuels rôdeurs ont été rebutés par l'odeur...

Une émanation épouvantable nous était en effet sautée à la gorge aussitôt que nous avions ouvert la porte.

— Une famille de mouffettes a dû faire son nid sous cette cabane, a dit mon père.

Je ne pouvais certainement pas le contredire. J'aurais même été porté à renchérir et à parler d'un *cimetière* de mouffettes...

Je me suis éloigné de la cabane pour explorer le terrain environnant, à la recherche du *plan d'eau* dont nous avait parlé le notaire. J'avais évidemment imaginé un magnifique lac, mais je n'ai trouvé qu'un étang presque asséché, dans lequel survivaient quelques quenouilles rachitiques.

Tout cela était décevant, mais je n'avais pas encore abandonné la partie.

— Bon, d'accord, cette cabane ne vaut rien, ai-je dit à mon père, mais est-ce qu'on ne pourrait pas au moins essayer de vendre le terrain ? Il a une certaine valeur, non ? On pourrait aussi détruire cette cabane et construire un vrai chalet ?

— Et c'est toi qui le bâtirais, peut-être ? Tu n'as jamais tenu un marteau de ta vie ! Et comment paierais-tu les matériaux ? Tu n'as pas un sou !

Je suppose que la déception devait se lire sur mon visage puisqu'il a alors changé de ton.

— Écoute-moi bien, Max, a-t-il poursuivi en poussant un long soupir. Tu as vu aussi bien que moi à quelle distance nous sommes de la route. Ça signifie qu'il sera impossible de se connecter à Hydro sans payer une fortune. Oublie Internet : on ne peut même pas utiliser nos téléphones. Tu n'aurais rien à faire ici, mais tu devrais quand même payer les assurances et les taxes municipales. Connaissant Laurent, je suis sûr qu'il ne s'en est pas occupé depuis des siècles. Tu hériterais alors d'une dette monstrueuse, et tout ça pour un terrain qui ne vaut pas un clou ? Oublie ça, Max.

Il avait raison, évidemment, mais il n'était quand même pas si facile de faire mon deuil de cet héritage.

— Allez, on rentre à la maison, a-t-il conclu. Je téléphonerai au notaire dès demain pour lui annoncer notre décision.

J'ai jeté un dernier coup d'œil à la bicoque au moment même où une corneille venait se poser sur le toit. J'ai eu l'impression qu'elle était là pour moi, comme si elle avait un message à me transmettre. J'ai soutenu son regard pendant quelques instants, puis je suis allé rejoindre mon père, qui se dirigeait vers la Jeep.

Une désagréable surprise nous attendait quand nous y sommes montés : mon père avait beau tourner la clé de contact, il n'y avait pas moyen de démarrer. La batterie ne donnait pas le moindre signe de vie.

— Ça n'a aucun sens, a dit mon père. Une Jeep toute neuve...

Une Jeep vraiment pas douée pour les escapades dans la nature, ai-je eu envie d'ajouter, mais je m'en suis retenu. Ce n'était vraiment pas le moment d'exaspérer mon père avec ce genre de remarque.

Nous avons essayé nos téléphones, en vain. Ni l'un ni l'autre ne fonctionnait.

Mon père a ouvert le capot, touché à quelques fils, sans plus de succès. Il avait eu raison de souligner que je n'avais jamais tenu un marteau de ma vie, mais il n'était pas plus doué que moi pour la mécanique.

La nuit allait bientôt tomber, et il n'était pas question de la passer dans la bicoque de l'oncle Laurent. Dormir dans la Jeep était certainement envisageable, mais nous n'aurions pas été plus avancés le lendemain matin.

— Je ne vois qu'une solution, avait conclu mon père : marcher jusqu'au prochain village. Ce serait une promenade d'une vingtaine de kilomètres, peut-être un peu plus... Avec un peu de chance, nous croiserons peut-être un bon Samaritain...

* * *

Rencontrer un bon Samaritain qui réparerait la Jeep et permettrait à nos personnages de rentrer tout bonnement à la maison ? Il n'en est pas question ! Parions plutôt pour une bonne vieille histoire de maison hantée ! Le père et le fils marcheraient pendant des heures pour toujours revenir à ce chalet, qui serait de plus en plus sinistre, et même *vivant*… Ils seraient prisonniers d'une boucle temporelle…

— Il y en a déjà des milliers de romans de maisons hantées, non ? me direz-vous. Pourquoi en écrire une autre ?

C'est vrai, mais il y a aussi des meurtres à élucider dans presque tous les romans policiers, et on en publie quand même de nouveaux chaque année. Et puis soyons précis : ce serait plutôt un *terrain* hanté. Ce n'est pas pour rien qu'il y a un marécage. Dieu sait ce qui pourrait en sortir… Ou y entrer…

— Est-ce qu'on finira par apprendre pourquoi la mère a refusé d'aller à ce chalet ? Se serait-il passé quelque chose entre elle et Laurent ? On sait déjà que Max va survivre, puisque c'est lui qui raconte l'histoire. N'aurait-il pas été plus efficace de la raconter à la troisième personne, d'ailleurs ? Ou alors à la première personne, mais au présent ?

On se calme, s'il vous plaît ! Personne n'est obligé de tout savoir avant de commencer ! Et qui êtes-vous, d'abord ? Qu'est-ce qui vous permet de venir me poser des questions ?

— …

— J'aime mieux ça.

Il arrive parfois, au cours de l'écriture d'un roman que je me pose trop de questions. C'est le signe que je ne sais pas trop quelle direction mon récit prendra. Je jongle avec plusieurs idées, mais aucune d'entre elles ne s'impose. Quand ça arrive, je laisse mon histoire sur la glace pendant quelques jours, quelques semaines et même quelques mois, en essayant de ne pas trop y penser.

En attendant, rien ne m'empêche de m'amuser en écrivant quelque chose de très différent, et même de complètement absurde.

7
Voyage secret au Japon

Une amie américaine spécialiste des onomatopées m'a fait comprendre l'autre jour que j'aurais intérêt à me familiariser avec les étranges mœurs des opossums. Ces sympathiques mammifères ont en effet une vie psychique intense, qui leur fait préférer la réglisse aux messages de l'au-delà. Comme je lui faisais remarquer que le rouge à lèvres peut occasionner des allergies, elle m'a répondu en me lançant un défi. Le premier qui réussirait à sucrer son café sans crier «au loup!» remporterait non seulement la coupe à blanc, mais aussi la crème à raser et les bains de foule.

Vous devez vous douter que je n'allais pas reculer devant une telle occasion de lui prouver ma virilité. Je lui ai donc tourné le dos, non sans avoir bien attaché mes lacets. Qu'on me tergiverse, d'accord, mais qu'on me tournevisse, jamais!

Elle en fut ravie comme une aubergine, bien au contraire. J'en veux pour preuve le regard mauve qu'elle m'a alors lancé par-dessus la cravate, de même que le grand éclat de rire qu'elle m'a tonitrué avant de retourner dans son église anglicane.

Jamais je n'aurais cru Cynthia capable d'une telle bassesse, surtout sous ces latitudes apaisantes. Je m'ennuie déjà de ses taches de rousseur invisibles.

* * *

J'espère que vous n'avez pas relu dix fois le texte précédent en y cherchant un sens. J'ai écrit n'importe quoi, mais *vraiment* n'importe quoi, en tentant d'y penser le moins possible. J'ai ouvert les vannes de mon cerveau et j'ai laissé s'écouler les mots, en tentant toutefois de donner à mon histoire un semblant de cohésion, ce qui la rend encore plus bizarre. Je me suis amusé avec les sonorités, je me suis permis quelques néologismes, j'ai tenté de me surprendre moi-même, et je dois vous avouer que j'ai trouvé cette activité très divertissante.

Il n'est cependant pas certain que j'aurais envie de lire trois cents pages dans ce style. Je crains que ce genre d'exercice soit bien plus amusant pour l'auteur que pour le lecteur.

Ça semble en tout cas faire du bien à mon cerveau : je viens de trouver deux ou trois nouvelles idées pour mon histoire de chalet ! L'ennui, c'est que je ne sais pas trop où les placer dans mon roman. Ça ne m'empêche pas de les noter. On verra bien !

8
Retour au chalet (notes)

Avant la visite chez le notaire. Le parrain lui envoie des cadeaux à ses anniversaires. Des cadeaux inquiétants, évidemment, qui arrivent par la poste. Timbres exotiques. Seychelles, Bahamas, Surinam.

Cadeaux : des billes de verre qui brillent dans l'obscurité, comme les yeux des chats. Même après avoir passé une semaine dans une boîte de métal cachée au fond d'un garde-robe obscur, ils émettent encore une inquiétante lueur verte.

Des cierges sur lesquels sont gravés des signes cabalistiques.

Des modèles réduits de navires anciens : drakkars, caravelles, galions… Rien d'inquiétant jusqu'à ce qu'un jour, il reçoive un squelette de chat, en pièces détachées.

Plus tard, quand ils arrivent au terrain : un cimetière d'autos, en pleine forêt. Des piles de vieux pneus, de moteurs, de portières. Des arbres qui poussent à travers tout ça. Des mauvaises herbes envahissantes. Des vignes sauvages. On entendrait les carcasses d'autos crier.

Dans le plan d'eau : deux ou trois quenouilles, de la vase verte dans laquelle flottent des huiles usées et des acides à batterie. Un canard se pose. Pschitt ! Fini le canard...

Le plan d'eau s'étend...

9
I am the Walrus

Une de mes chansons préférées des Beatles s'intitule *I am the Walrus*. Les paroles sont pour le moins bizarres : il y est question de cochons qui volent, de quelqu'un qui est assis sur un flocon de maïs et d'un manchot qui chante *Hare Krishna*. Le refrain est encore plus étrange :

I am the egg man
They are the egg men
I am the walrus
Goo goo g'joob

Je suis un homme-œuf ? Je suis un morse ? Qu'est-ce que John Lennon a bien pu vouloir dire ?

Quand ce disque a été mis sur le marché, des milliers d'amateurs des Beatles, parmi lesquels se trouvaient d'éminents universitaires, se sont posé la question et se sont creusé la tête pour tenter de comprendre le sens secret de ce texte, d'en décoder les symboles. La vérité, comme John l'a expliqué plus tard, c'est qu'il avait écrit n'importe quoi pour le plaisir d'embêter ceux qui analysaient ses chansons et prétendaient en trouver le sens profond !

Certaines personnes ont bien du mal à croire qu'on peut écrire quelque chose simplement pour s'amuser et qu'il ne faut pas tout prendre au sérieux.

Avez-vous déjà expérimenté l'écriture automatique ? Installez-vous devant votre ordinateur ou, mieux encore, prenez un bon vieux crayon et quelques feuilles de papier. Programmez la minuterie de votre téléphone pour cinq minutes, pendant lesquelles la seule consigne que vous aurez à suivre sera d'écrire n'importe quoi sans jamais arrêter, et le plus vite possible. Vous pouvez par exemple vous inspirer du refrain de John Lennon, qui me semble un excellent point de départ : *je suis un œuf, je suis un linge à vaisselle, je suis un nain qui veut une tranche de pain, je suis affamé le matin, je suis une corde à linge, je monte dans un ascenseur de verre…* Continuez à écrire le plus vite que vous le pouvez, en y réfléchissant le moins possible, avec l'intention de ne faire lire votre texte à personne. Laissez-vous aller. Laissez aller les mots.

Au bout de cinq minutes, vous n'obtiendrez probablement qu'un paquet de niaiseries, mais il peut arriver que vous mettiez la main sur une pépite, comme un chercheur d'or qui sasse les cailloux d'un ruisseau.

Ça pourrait être le titre d'un poème, par exemple, ou une phrase qui sonnerait bien dans une chanson, ou une comparaison étrange que vous pourriez utiliser dans une rédaction.

Vous pourriez même apprendre quelque chose sur vous-même, quelque chose que vous ignoriez jusque-là et que vous n'auriez peut-être pas découvert autrement.

Cette découverte pourrait même changer votre vie, qui sait ?

Je suis sérieux. Essayez ! Dans le pire des cas, vous vous serez amusé pendant cinq minutes.

* * *

Quand les gens me demandent comment surgit l'inspiration, je leur réponds que c'est un grand mystère. Ce que je sais par contre de façon absolument certaine, c'est que les idées arrivent toujours dans le désordre. Je m'assois devant mon ordinateur pour écrire une histoire de chalet hanté, et je me retrouve avec un texte absurde à propos d'un voyage au Japon... Je prends des notes pour mon histoire de chalet, et voilà que je découvre un vieux fichier qui me donne envie d'écrire des poèmes...

10
Voyage en ascenseur

Elle est montée vers moi
Dans un ascenseur de verre
Avec elle est venue la lumière.

* * *

C'est tout. J'ai écrit un jour ces trois vers, sans savoir
où ça allait me mener, et je les ai oubliés là. Quand
je les ai redécouverts, quelques années plus tard, j'ai eu
envie de continuer ce poème.

C'était un vrai rêve
De ceux qu'on fait la nuit.

Elle était au bord de la rivière,
Au même endroit qu'autrefois.
— Êtes-vous celle-là ? lui ai-je dit.
Êtes-vous celle que je crois ?

— Et vous, êtes-vous celui-ci ?
Je vous attendais depuis toute ma vie.

Si jamais je continue à écrire des poèmes, un jour, ce dernier vers me servira peut-être de point de départ. Il est un peu tout croche, mais je l'aime bien.

Pour le moment, j'ai plutôt envie d'écrire une histoire morbide. Elle m'a été inspirée par une photo surréaliste que j'ai vue dans le journal, ce matin. On y voyait un cercueil flottant sur l'eau, au coin d'une rue, immobilisé devant un panneau de stop. La ville où la photo avait été prise avait subi une inondation, ce qui avait provoqué cette situation étonnante.

Un cercueil qui flotte devant un stop… Je devrais peut-être laisser l'idée mijoter dans ma marmite, mais je ne peux pas empêcher mon imagination de s'emballer.

Si vous avez le cœur sensible, je vous conseille de sauter le prochain chapitre. Je suis sérieux.

11
Ça

«Je n'aurais jamais dû accepter ce travail», songe William en enfilant son scaphandre.

«Je voulais explorer des épaves pour trouver des trésors, moi! Photographier des récifs de corail, batifoler avec les dauphins et les bélugas...»

«Mais ça, c'est ce qu'on imagine de la vie des plongeurs quand on est un enfant», se dit-il pour la centième fois. Dans la vraie vie, les plongeurs dégagent des tuyaux coincés, font de la soudure sous-marine, inspectent des travaux. C'est moins excitant que la chasse au trésor, mais c'est un travail qui comporte sa part de risques et vaut à ceux qui le pratiquent le respect, et même l'admiration de leurs clients. Ça leur procure aussi de jolis chèques, pourquoi le nier.

Dans la vraie vie, certains plongeurs sont amenés à retrouver des noyés. C'était la spécialité de

William. Il n'était rattaché à aucun corps policier, mais il lui était arrivé d'aider ses collègues plongeurs de la Sûreté du Québec. C'était un travail éprouvant. Dans certains plans d'eau, la visibilité est si faible qu'on ne voit pas plus loin que le bout de son nez, si bien qu'il arrive qu'on touche aux cadavres avant de les avoir aperçus. On en voit aussi apparaître la tête en bas, boursouflés, dans un état de décomposition avancée, et ces images viennent à tout jamais hanter nos cauchemars.

C'est un travail épouvantable, mais quelqu'un doit le faire. On doit penser aux familles des victimes, qui pourront enfin vivre leur deuil ; à tous les riverains, qui pourront se baigner sans risque de mauvaise surprise ; aux noyés eux-mêmes, enfin, qui auront droit à une sépulture décente.

Il fallait que quelqu'un fasse ce travail, et William était cet homme-là.

C'était devenu sa spécialité, et sa réputation dépassait maintenant les frontières. Il était normal qu'on se soit adressé à lui pour cette mission.

William ne se trouvait pas chez lui, au bord du fleuve Saint-Laurent, mais en Louisiane. Un ouragan avait fait des siennes et inondé un village, coincé au fond d'une vallée.

Un village bâti autour d'une petite église, dont on ne voyait plus que l'extrémité du clocher, qui émergeait et servait de repère aux secouristes.

À côté de cette église se trouvait un cimetière. Comme tout le reste du village, il avait été recouvert par l'eau boueuse des bayous. Des cercueils et des cadavres flottaient à la dérive, comme des radeaux perdus. D'autres étaient sans doute encore engloutis : une bonne partie de la population avait été portée disparue.

Le shérif avait amené William tout juste au-dessus de ce cimetière – ou ce qui en restait – dans son zodiac.

Sa mission était de récupérer le maximum de restes humains avant que les alligators s'en repaissent.

Il fallait que quelqu'un le fasse.

* * *

Je ne sais pas s'il y a de la matière pour un roman dans cette mise en situation. Et si c'était le cas, est-ce que j'ai envie d'y travailler pendant des mois, des années ? Peut-être que je pourrais en faire une nouvelle ?

En relisant mon texte, je m'aperçois qu'il ressemble un peu à *Garder son souffle* : dans les deux cas, notre personnage s'apprête à pénétrer dans un monde inconnu, et qui semble terrifiant.

C'est la trame de centaines de romans et de films, quand on y pense. Un astronaute explore une nouvelle planète. Un policier infiltre le crime organisé. Un adolescent arrive dans une nouvelle école. Une jeune femme découvre l'amour. Un soldat entre dans une ville en ruines, où se trouvent des *snipers*. Un couple achète une maison hantée. On pourrait continuer longtemps sur cette lancée.

Découvrir un monde inconnu dont on ne connaît pas les règles… N'est-ce pas ce que nous vivons tous, de la naissance à la mort ?

12
Il n'y a pas de sots métiers

Les scaphandriers sont rarement les personnages principaux des romans. Il faudrait sans doute chercher longtemps, de la même façon, pour tomber sur un héros dentiste, col bleu ou pomiculteur. Encore plus rares sont les préposées aux bénéficiaires, les podiatres et les esthéticiennes. Si vous en croisez au détour d'une page, ce seront probablement des personnages secondaires d'intrigues policières (ou alors les héroïnes d'un roman Harlequin).

Parmi les héros, vous trouverez en revanche quantité de policiers, de détectives et d'inspecteurs. Du point de vue d'un auteur, ces métiers sont évidemment bien plus intéressants : un policier est souvent témoin de drames épouvantables, il ne sait jamais à quoi s'attendre et il peut entrer dans toutes les maisons, croiser des dizaines de personnages louches et leur poser plein de questions.

Les détectives privés ou les policiers à la retraite sont peut-être encore plus nombreux à figurer parmi les rangs des héros, et c'est normal : ils sont appelés à vivre autant d'aventures que les policiers, mais ils n'ont pas à se préoccuper des procédures. On ne les verra généralement pas rédiger des rapports d'enquête ou des formulaires d'heures supplémentaires ni payer leur cotisation syndicale, et c'est tant mieux.

Les journalistes font aussi des personnages très intéressants : ils peuvent aller où ils veulent et interroger qui ils veulent. On s'attend à ce qu'ils redressent des torts, à ce qu'ils révèlent des secrets… et à ce qu'ils sachent écrire !

On rencontre aussi beaucoup de soldats dans les œuvres de fiction. Comment ne pas s'identifier à un pauvre jeune homme enrôlé malgré lui, et qui risque à chaque page de se faire écraser par un char d'assaut ou de tomber sur une mine antipersonnel ? Pourquoi voit-on rarement des soldates dans ce genre de situation, au fait ? N'y a-t-il pas de plus en plus de femmes dans les forces armées ?

Les avocats sont des personnages plus ambivalents. Ils peuvent être du côté de la justice et défendre la veuve et l'orphelin, mais on les voit aussi représenter des compagnies minières, des banques ou des promoteurs immobiliers. Dans ce cas, ils sont invariablement corrompus, menteurs et assoiffés d'argent. Je me demande parfois à quoi ressemblerait un roman ou un scénario de film qui renverserait ce cliché. Pourquoi les promoteurs immobiliers et leurs avocats seraient-ils presque toujours des méchants?

On rencontre aussi bon nombre de professeurs dans les romans, ce qui s'explique facilement : la plupart des écrivains ne peuvent pas vivre de leurs droits d'auteur et exercent souvent ce métier pour gagner leur croûte. Contrairement aux policiers, les enseignants sont toutefois rarement mêlés à des affaires criminelles. Ils seront plutôt les protagonistes d'histoires d'amour archicompliquées.

Pour un auteur, il est aussi très tentant de faire de son personnage un écrivain. Ça limite considérablement son travail de recherche et lui permet de lancer quelques flèches à ses éditeurs et à ses concurrents. Pourquoi pas, après tout ? Ça peut être amusant. Là où je décroche, cependant, c'est lorsque l'écrivain raconte l'histoire d'un auteur en panne d'inspiration. Irait-on voir le spectacle d'une chanteuse qui dirait dans ses entrevues qu'elle n'a pas envie de chanter ?

Cela dit, il y a des centaines de métiers dont on ne parle que très rarement dans les romans. Pourquoi ne pas donner la parole à un serrurier cambrioleur, un juge meurtrier, une géographe cartomancienne, un réparateur de montres à temps perdu, un astrologue astronaute, un mime ventriloque, un orienteur déboussolé, un guide touristique menteur pathologique, une cardiologue farceuse, un athlète pantouflard, une philosophe de bonne humeur, une fleuriste lutteuse de sumo, une fée des étoiles de mer, une vétérinaire spécialisée dans les soins à apporter aux licornes diabétiques, un garagiste honnête, une avocate désintéressée, un lutteur chatouilleux, un commentateur qui connaît son sujet, un cordonnier bien chaussé ou un professeur intéressant ?

Ça ne vous inspire pas ? Et pourquoi ne pas écrire un roman d'un personnage qui serait un vice-histite principal, une préposée aux domines externes de catégorie six ou une intervenante en aérosalie expérimentale mixte ? Personne ne saurait ce qu'ils font exactement, mais ils auraient droit à un bureau, un salaire intéressant, une case juste pour eux dans les organigrammes de ministères improbables et le droit de se servir de leur imagination pour se rendre utiles. Certains profiteraient de cette sinécure pour classer des trombones par couleurs et par ordre de grandeur tandis que d'autres ne se mêleraient jamais de leurs affaires. J'aimerais ça.

Les notaires font aussi d'excellents personnages de romans, bien sûr. On les rencontre souvent au tout début du récit, quand ils révèlent au personnage principal un lourd secret de famille. Notre héros découvrira alors, en même temps que le lecteur, qu'un de ses oncles lointains a fait fortune aux États-Unis, que sa marraine excentrique a été la maîtresse de Picasso et qu'elle a entreposé une dizaine de ses toiles à Barcelone, que son grand-père était le fils illégitime de Raspoutine, qu'il doit capturer un marsupilami dans les forêts de

Palombie s'il veut toucher son héritage, bref que la vie est loin d'être aussi ennuyeuse qu'on pourrait le croire.

Les notaires peuvent aussi lire des testaments…

Qu'est-ce qui arrive à notre ami Max, au fait ? Je n'en ai aucune idée.

Quand les écrivains donnent des conférences dans les écoles, on leur demande invariablement comment ils trouvent leurs idées. On devrait plutôt leur demander comment ils arrivent à les choisir quand ils en ont trop !

13
Superhéros

Je ne suis pas un grand amateur de superhéros. Superman, Batman et Spiderman me laissent froid. Je préfère Catwoman, mais pas au point de lui inventer de nouvelles aventures, d'autant plus qu'il me faudrait sans doute pour cela négocier avec une horde d'avocats travaillant pour de grands studios hollywoodiens.

Tant qu'à recycler de vieilles histoires, pourquoi ne pas utiliser les héros des mythologies grecques ou romaines? Il y en a plein, et c'est gratuit! Vous êtes amateur de *fantasy*? Vous aimez les dragons, les sorcières, les mages, les épées magiques et les labyrinthes? Lisez les légendes d'Héraclès, de Jason, de Circé et d'Œdipe, puis inventez-leur de nouvelles aventures!

Rien ne vous oblige à en faire des drames sanguinolents. Plutôt que de chercher l'issue du labyrinthe, Icare pourrait par exemple tenter de mettre la main sur un dossier dans les archives du ministère de l'Éducation.

Je me suis souvent demandé pour ma part ce qui arrivait aux dieux oubliés, que plus personne ne vénère. S'ennuient-ils des prières des humains ? Se sentent-ils orphelins ?

Imaginons un instant le dieu de la pluie d'une peuplade autochtone disparue depuis des milliers d'années. Appelons-le Atok, tiens.

* * *

Atok est éternel, et c'est là son drame : plus personne ne le prie ni ne danse pour lui demander de faire tomber de la pluie. On ne lui offre plus de chèvres en sacrifice. Les humains ont même oublié son nom. Seul sur son nuage, il s'ennuie royalement, ou plutôt divinement.

Un jour, il prend son courage à deux mains et va trouver Jupiter, le grand patron des dieux, pour lui raconter ses malheurs.

— Hélas, je ne peux pas grand-chose pour toi, cher collègue, lui répond celui-ci. Je suis peut-être plus connu que toi, mais il y a longtemps que les humains n'invoquent plus mon nom ! Le dernier à l'avoir fait est un vieux lord anglais, qui s'exclamait toujours « *By Jove !* » sans trop savoir ce que ça signifiait. Quand je leur balance des éclairs sur la tête, les humains n'ont même pas peur ! Ils s'imaginent que ce sont des phénomènes naturels !

Faut-il être bêtes ! Nous sommes de vieux dieux passés de mode, hélas !

— Et si on leur concoctait un cataclysme dont ils se souviendraient longtemps ? suggère Atok. Un déluge à la puissance dix, avec des millions d'éclairs, suivi d'une glaciation qui durerait quelques millénaires ?

— Voilà qui me plaît assez, je dois dire ! répond Jupiter en se caressant le menton. Je pourrais demander à mon ami Neptune de se mettre de la partie... Il pourrait relever le niveau des mers de quelques mètres, histoire d'engloutir des villes côtières !

— Nous pourrions aussi en parler à d'autres dieux qui ne demanderaient pas mieux que de se joindre à nous ! Les humains verront ce qu'il leur en coûte de nous oublier dans leurs prières !

— Tu m'as convaincu, Atok ! Les humains s'apercevront bientôt que les vieux dieux n'ont rien perdu de leur puissance de feu ! Je vais leur envoyer des éclairs dont ils se souviendront longtemps ! Allons-y !

Mais au moment où Jupiter saisit un éclair assez puissant pour détruire New York, une créature ailée vient lui bourdonner autour de la tête.

— Qu'est-ce que c'est que cette bestiole qui ose s'en prendre à moi ? tonne le père de tous les dieux.

— Attendez un peu, mes amis ! dit cette minuscule créature. J'ai dans mon carquois de quoi leur faire encore plus mal !

Jupiter, qui est un peu myope – ça arrive à tout le monde, quand on vieillit – éclate de rire quand il reconnaît enfin ce petit dieu joufflu qui tient un arc dans sa main.

— Tu as raison ! s'exclame Jupiter. Je te cède ma place !

Atok est un peu déçu, mais il doit admettre que Cupidon a bien raison : ses flèches valent bien des éclairs.

* * *

Pas de quoi écrire un roman, me direz-vous ?

C'est vrai, mais une nouvelle ? Certaines tiennent en quelques dizaines de pages, parfois même une ou deux, et plusieurs se terminent par ce genre de punch.

Gardons cette idée en réserve et explorons une autre piste.

14
On zoo

Plusieurs écrivains ont trouvé l'inspiration en observant les animaux et en cherchant à comprendre leur comportement. Rien ne vous empêche d'en faire autant. Vos histoires n'ont pas à être vraisemblables, loin de là ! Walt Disney a inventé Mickey, une souris qui porte des gants blancs et qui est propriétaire d'un chien ! Son ami Donald est un canard vêtu d'un chandail de matelot, mais qui ne met jamais de pantalon ! Un de mes personnages de BD préférés est le marsupilami, une sorte de singe jaune doté d'une queue de huit mètres, dont il se sert, entre autres, pour pêcher des piranhas. C'est vraiment n'importe quoi, mais ça marche !

Se mettre dans la peau d'un animal est une excellente façon de stimuler son imagination.

Lilian Jackson Braun, une auteure américaine, a écrit une trentaine de romans policiers dans lesquels les enquêteurs étaient deux chats siamois.

Bernard Werber, un écrivain français, a publié en 1991 un roman dont certains personnages étaient des fourmis qui se livraient une guerre sans merci. Son livre a connu un immense succès : il a été traduit dans une trentaine de langues et vendu à plus de vingt millions d'exemplaires !

Pierre Boulle, un autre auteur français, a connu lui aussi un succès considérable avec *La planète des singes*, un roman de science-fiction dans lequel des humains se retrouvent sur une planète semblable à la Terre, mais où l'évolution a suivi un parcours légèrement différent : les gorilles et les chimpanzés sont devenus les espèces dominantes, tandis que les humains sont réduits à l'état d'animaux. Les héros de ce roman doivent prouver qu'ils sont aussi intelligents que les singes !

Dans l'une des histoires d'horreur dont il a le secret, Stephen King s'est mis dans la peau de *Cujo*, un saint-bernard atteint par la rage, qui devient une redoutable machine à tuer.

Au début du XXe siècle, Jack London a écrit un roman qui allait devenir un classique, *L'Appel de la forêt*. L'histoire, qui se déroule à l'époque de la ruée vers l'or, met en scène un chien de traîneau qui finit par s'intégrer à une meute de loups.

Sophie Rostopchine, mieux connue sous le nom de la comtesse de Ségur, a pour sa part publié les *Mémoires d'un âne*, tandis que Franz Kafka, un grand écrivain de langue allemande, a décrit, dans *La métamorphose*, la lente transformation d'un humain en un insecte monstrueux.

En 1905, Mark Twain a commencé à écrire une longue nouvelle, malheureusement inachevée, intitulée *Trois mille ans chez les microbes*, dans lequel le narrateur est un germe du choléra !

Vous pouvez vous aussi vous transformer en animal, en insecte ou en microbe. Tatou, ornithorynque, poulpe, mille-pattes, hamster, COVID-19, ce n'est pas le choix qui manque ! Et rien ne vous oblige non plus à en faire des romans. Vous pouvez aussi écrire des scénarios de films ou de bandes dessinées, des nouvelles, des contes, ou même des fables comme en inventait le bon vieux Jean de La Fontaine au XVIIe siècle. Ce genre littéraire a toujours été à la mode : Ésope, un auteur grec de l'Antiquité, en composait il y a presque 3 000 ans !

J'aime bien pour ma part imaginer ce qui pourrait arriver à la race humaine, si, à la suite d'un cataclysme ou d'une épidémie, la population chutait radicalement, passant par exemple de huit milliards à quelques milliers, disséminés un peu partout sur la planète. La Terre serait alors presque entièrement recouverte de forêts vierges, qui auraient reconquis les champs et les villes. Certaines sortes de vignes et de lichens, se nourrissant de béton et d'asphalte, se seraient développées de façon spectaculaire et seraient devenues vénéneuses.

Les animaux se seraient eux aussi multipliés, comblant les immenses vides laissés par les humains dans la nature.

De nouvelles espèces seraient nées tandis que d'autres auraient évolué dans des directions parfois surprenantes. On verrait par exemple des pelagornis, ces oiseaux préhistoriques dont l'envergure pouvait atteindre six mètres. Ces animaux seraient d'autant plus dangereux pour les humains qu'ils seraient parfaitement silencieux et pourraient fondre sur leurs proies tout aussi bien la nuit que le jour.

Aucun humain sensé ne serait assez fou pour marcher à découvert dans une prairie. Les marécages, peuplés de crocodiles, d'alligators, de crabes géants et de serpents venimeux seraient tout aussi dangereux. La meilleure façon de survivre serait de se réfugier dans les arbres, où il faudrait disputer le territoire aux singes. Ceux-ci seraient plus féroces que les humains, qui ne devraient leur survie qu'à leur habileté à construire des nids sophistiqués qui ressembleraient un peu à ceux des marsupilamis.

Ils pourraient aussi organiser des réseaux de lianes entremêlées, qui leur serviraient de routes aériennes.

Condamnés à vivre dans des milieux de plus hostiles, les humains seraient en voie d'extinction. Chaque naissance serait cruciale, chaque rencontre entre un mâle et une femelle, déterminante pour l'avenir de l'humanité.

C'est dans ce contexte que nous ferions la connaissance de Kio, un adolescent qui partirait à la recherche d'une femelle humaine disposée à contribuer à la survie de l'espèce.

Nous le rejoignons au moment où il erre dans une forêt hostile. Il a échappé de justesse à mille périls, sans réussir à trouver son âme sœur. Il est sur le point de mourir de faim, de fatigue et de froid sans avoir rempli sa mission. Par sa faute, la race humaine s'éteindra.

Un beau jour qu'il croit être son dernier, au bord d'une rivière boueuse où pullulent des alligators, surgit une jeune femme magnifique.

Elle a beau être vêtue de peaux de bêtes, il se dégage d'elle un charme irrésistible. Elle semble cependant craintive, et même hostile. Elle ne réagit pas quand Kio essaie de la séduire par de belles paroles – peut-être ne parle-t-elle pas la même langue. C'est d'autant plus embêtant que la jeune femme tient une arme dans sa main, une sorte de lance dont l'extrémité a sans doute été trempée dans un poison mortel.

Kio avance un peu, tout doucement, en lui tendant ses deux mains nues, paumes vers le ciel, cherchant à se montrer bienveillant.

La jeune femme ne semble pas comprendre ses intentions. Bien au contraire, elle brandit l'arme mortelle et s'apprête à la lancer.

C'est à ce moment-là qu'un drôle d'oiseau se met à tourner autour de la jeune fille. En s'approchant encore un peu plus, Kio s'aperçoit avec bonheur qu'il ne s'agit pas d'un animal, mais d'un petit dieu joufflu qui tient un arc dans sa main, et qui s'apprête à tirer une de ses flèches en direction de la jeune femme.

Cupidon tend son arc, vise le cœur de la jeune femme, et… wooosh ! il est gobé par un pélagornis, qui n'en fait qu'une bouchée.

15
Le coffre
du capitaine Haddock

Le Secret de la Licorne est mon Tintin préféré. J'ai dû le lire une trentaine de fois, si ce n'est pas davantage. Dans cet album publié en 1943, Hergé tisse plusieurs histoires parallèles : celle des Dupondt, qui suivent la piste d'un audacieux pickpocket ; celle de Tintin, qui veut retrouver la maquette d'un vieux bateau qu'on lui a volée et qu'il comptait offrir au capitaine Haddock ; et celle enfin du capitaine Haddock lui-même, qui a trouvé dans son grenier un coffre ayant appartenu à son ancêtre, le chevalier François de Hadoque. Outre un immense chapeau à plume et un sabre, l'ami de Tintin a déniché dans ce coffre les mémoires de son aïeul, qu'il a lues pendant la nuit et dont il fait part à Tintin. S'ouvre alors une palpitante histoire dans l'histoire, quand le capitaine raconte les aventures du chevalier, ce qui nous vaut de magnifiques scènes de bataille navale.

C'est en reliant ensemble ces trois fils que nos héros découvriront enfin, dans l'album suivant, le fameux trésor de Rackham le Rouge, qui leur permettra de faire l'acquisition du château de Moulinsart.

Il y a plusieurs invraisemblances dans cet album, comme dans toutes les aventures de Tintin, mais on s'en fout. On passe d'une histoire à l'autre avec plaisir alors qu'on change de décor et de siècle, et on fait en prime la connaissance de l'irrésistible professeur Tournesol, qui fera aussitôt partie de la famille de Tintin. Comment se passer d'un personnage capable d'inventer des sous-marins aussi bien que des fusées spatiales et des patins à roulettes motorisés ?

Mais revenons à ce coffre. J'ai toujours pensé que le capitaine Haddock avait souffert d'un manque criant de curiosité. Si j'avais su qu'un tel meuble se trouvait dans mon grenier, je n'aurais pas attendu si longtemps avant de l'ouvrir ! Ce n'était pas un petit coffret de rien du tout, mais une malle de bonnes dimensions. Peut-être contenait-elle un trésor, ou même quelques bouteilles de rhum ! Et le capitaine n'avait jamais songé à vérifier ce qu'elle contenait ? C'est difficile à avaler !

Mais peu importe. Ce que je veux illustrer avec cette histoire, c'est que des centaines, voire des milliers de romans sont construits de la même manière que *Le Secret de la Licorne* et racontent une histoire dans l'histoire, ou une *mise en abyme*, si on aime les termes savants. On peut les résumer en une seule phrase : un personnage découvre une histoire cachée et cette découverte change sa vie. Je n'ai pas fait de recherche sur le sujet, mais je suis persuadé que ce résumé est presque aussi courant que le suivant : un homme est chargé d'élucider un meurtre.

Le personnage central de ce genre de récit peut être un jeune homme ou une jeune femme, une vieille dame qui vit avec son chat, ou même le chat lui-même, pourquoi pas ?

Il peut trouver le coffre dans un vieux chalet, le sous-sol d'une école, un meuble qu'il a acheté chez un antiquaire, une maison abandonnée...

Le coffre peut être un coffret de sûreté, une simple enveloppe, un journal personnel, une clé USB... L'important, c'est qu'il contienne une histoire troublante.

Le personnage peut apprendre qu'il a été adopté, par exemple. Qu'il est l'enfant illégitime d'un roi, d'un grand artiste ou d'un tueur en série. Ou alors que son grand-père, que tout le monde croyait simple d'esprit, a été un héros de la Deuxième Guerre mondiale, ou alors qu'il a inventé un médicament miracle, ou qu'il possédait une carte menant à un trésor...

Imaginez maintenant que vous soyez ce personnage. Vous tombez sur votre journal intime, mais *qui aurait été écrit dans le futur*. Il suffirait donc d'en tourner les pages (ou de brancher votre clé USB dans votre ordinateur) pour connaître votre avenir.

Je vous laisse deviner la suite.

* * *

Tout le monde dispose d'une malle qui ressemble à celle du capitaine Haddock. Elle ne se trouve pas dans un quelconque grenier, mais dans un coin de notre cerveau, et ne demande qu'à être ouverte. Elle s'appelle imagination.

16
Le principe d'Heisenberg

Star Trek est une série télévisée qui a connu un grand succès dans les années 60. Elle a été souvent reprise par la suite, tant à la télévision qu'au cinéma. La série originale racontait les voyages du vaisseau spatial *USS Enterprise*, dont l'équipage devait affronter de nouvelles créatures, la plupart du temps méchantes.

Si les scénaristes s'en donnaient à cœur joie en inventant chaque semaine de nouvelles planètes sur laquelle le véhicule se posait, les réalisateurs s'arrachaient souvent les cheveux. Les effets spéciaux étaient en effet très rudimentaires à cette époque, et s'ils arrivaient à produire de belles images du vaisseau spatial voguant dans l'espace intersidéral, c'était une autre paire de manches de le faire atterrir (ou alunir, ou saturnir, ou alphaducentaurir, ou peu importe). Quand on voit à quoi ressemblait leur véhicule, on peut en effet se questionner : comment une telle machine pouvait-elle se poser quelque part ? Après plusieurs tentatives plus maladroites les unes que les autres, ils ont donc demandé aux scénaristes de trouver quelque chose qui faciliterait leur travail.

Ceux-ci ont vite trouvé une solution originale : les personnages entraient dans une sorte de placard dont ils fermaient la porte, ils appuyaient sur un bouton et ils étaient aussitôt dématérialisés avant d'être rematérialisés sur le sol de la nouvelle planète à explorer. La téléportation réglait tous les problèmes : le vaisseau n'avait plus besoin d'atterrir nulle part ! N'ayant maintenant qu'une porte fermée à filmer, les réalisateurs étaient aux anges !

Les scénaristes n'étaient cependant pas au bout de leurs peines. Les étudiants des facultés scientifiques de plusieurs universités américaines suivaient en effet la série avec beaucoup d'intérêt et réagissaient aussitôt qu'ils croyaient trouver une incongruité dans les scénarios. Or, d'après eux, la téléportation était impossible en raison du principe d'Heisenberg, ce qu'ils se sont empressés de signaler aux responsables de cette émission.

Il est fort probable que les scénaristes n'avaient jamais entendu parler de ce principe, mais ça ne les a pas empêchés de régler le problème en un tour de main : la semaine suivante, l'équipage du vaisseau spatial découvrait un gros bouton fixé au mur, tout près de la cabine de téléportation.

— Qu'est-ce que c'est que ce bouton, capitaine Kirk ? a demandé un des aéronautes.

— C'est un compensateur d'Heisenberg ! a répondu le capitaine avant de se faire télétransporter.

Et voilà ! Pas plus compliqué que ça !

Les universitaires n'allaient cependant pas se satisfaire de cette entourloupette.

— Très drôle ! ont-ils répliqué. Est-ce qu'on peut savoir comment ça marche ?

— Bien sûr ! ont répondu les scénaristes. Ça marche très bien !

* * *

Vous êtes en panne d'idée ? Ouvrez n'importe quel magazine scientifique et vous en trouverez à la pelletée ! Vous apprendrez des choses aussi intéressantes que le principe d'Heisenberg[1], et vous disposerez surtout d'un moyen infaillible de contourner tous les problèmes !

---

1. Je ne l'ai personnellement jamais compris, mais je ne renonce pas à y arriver !

17
Sherlock Holmes contre Harry Potter

Si jamais l'envie vous prend d'écrire un livre qui porte ce titre, je vous suggère de l'oublier tout de suite… à moins que vous ayez envie de dépenser des fortunes en frais d'avocats! J. K. Rowling est en effet encore vivante et elle n'aimerait sûrement pas qu'on lui vole son personnage.

Les droits d'auteur sont protégés par la loi, et cette loi continue de s'appliquer pendant les 50 ans qui suivent le décès de l'auteur. Dans certains pays, cette protection s'étend jusqu'à 100 ans.

Cette période une fois passée, on dit que les œuvres «tombent dans le domaine public», et vous pouvez alors faire tout ce que vous voulez. Vous n'avez pas à demander la permission à qui que ce soit pour les utiliser et vous n'avez aucune redevance à payer. Cela explique qu'on publie chaque année des romans qui mettent en vedette Sherlock Holmes, le frère de Sherlock Holmes, la fille de Sherlock Holmes, l'arrière-petite-fille de Sherlock Holmes, le chien de Sherlock Holmes, et que nous lirons peut-être un jour les aventures palpitantes de la puce du chien de Sherlock Holmes : Sir Arthur Conan Doyle, le créateur du célèbre détective, est décédé en 1930, et ses héritiers ne peuvent pas vous poursuivre.

D'autres personnages font partie du domaine public. Vous êtes donc libre d'écrire « Les nouvelles aventures de Dracula », « Frankenstein contre le Cyclope » ou « Don Quichotte au Congo », mais je ne vous le conseille pas : croyez-vous vraiment que vous êtes de la même trempe que les auteurs de certains des plus grands classiques de la littérature mondiale ? Vous prenez-vous pour un génie ? Si oui, vous n'avez certainement pas besoin de mes conseils !

Oubliez donc Sherlock Holmes... à moins que ce soit le nom d'un chat, évidemment. Ça pourrait alors être très intéressant !

Vous pourriez cependant le lire pour vous en inspirer. Conan Doyle avait le don de créer des situations initiales intrigantes. Une de mes préférées est celle qu'on trouve dans une histoire intitulée *The Red-Headed Leage* (*La Ligue des Rouquins*).

Un homme vient consulter le célèbre détective pour lui demander son aide. Il lui raconte avoir répondu à une annonce qui promettait un salaire intéressant à quiconque était disposé à recopier des passages d'une encyclopédie. Il fallait les copier à la main, évidemment : les imprimantes n'étaient pas encore inventées. Et pour obtenir cet emploi, il fallait absolument avoir les cheveux roux.

Pourquoi diable cet homme a-t-il été engagé pour la couleur de ses cheveux avec pour seule mission de recopier un dictionnaire ? Et pourquoi cet emploi a-t-il cessé quelques mois plus tard, avant même qu'il se soit rendu à la lettre *b* ? C'est ce mystère qui l'entraîne à consulter le célèbre détective.

Ça donne envie de tourner les pages, non ?

Sherlock Holmes résoudra ce mystère, évidemment, et ne comptez pas sur moi pour vous dire comment.

Vous pouvez sûrement imaginer des débuts de romans aussi intrigants, sinon plus.

```
Un homme nu se présente au poste de
police. Son dos est couvert de tatouages
représentant des serpents qui se mordent
la queue. Il parle une langue que personne
ne connaît.
```

Vous êtes en visite au Parlement quand des terroristes prennent votre classe en otage. Tous vos amis réussissent à s'enfuir, sauf vous et votre enseignante. Vous vous êtes réfugiés dans un placard. Persuadée qu'elle va mourir, l'enseignante soulage sa conscience en vous faisant une confidence troublante. Les terroristes finissent par être neutralisés. Vous détenez désormais un secret...

Vous passez l'été dans une colonie de vacances. Au cours d'un jeu de chasse au trésor, vous trouvez une boîte métallique qui contient un objet inattendu. Vous suivez alors une fausse piste qui vous entraîne vers un chalet où se terre un criminel...

Rien n'est plus facile que d'inventer des débuts de romans. Il y a de quoi s'amuser longtemps! Je préfère cependant vous avertir : inventer une fin satisfaisante, c'est une autre paire de manches!

18
D'après une histoire vécue

On peut avoir envie de raconter une histoire vécue pour une foule de bonnes raisons. Avoir été témoin d'un événement historique, par exemple, et offrir un point de vue différent et unique sur cet événement. Avoir subi une dure épreuve et en avoir tiré des leçons qu'on veut partager avec ses semblables dans le but de leur venir en aide, ou pour qu'ils se sentent moins seuls dans leur malheur. On peut aussi avoir été témoin d'anecdotes amusantes ou émouvantes et avoir envie de les relater pour faire sourire les lecteurs.

Ce n'est cependant pas parce qu'une histoire est vraie qu'elle est forcément intéressante. En tant qu'écrivain, je serais même porté à citer cette phrase, attribuée à Mark Twain, et que tous les journalistes connaissent : « Ne laissez jamais la vérité gâcher une bonne histoire. »

Tous les auteurs que je connais ont un jour ou l'autre rencontré, dans un salon du livre ou dans une réunion familiale, un lecteur qui tenait à leur raconter une anecdote qu'il avait vécue et qui devrait absolument, d'après eux, se retrouver dans un livre. Ce lecteur n'a habituellement aucune envie d'écrire ce livre – il n'a pas de temps pour ça – et il compte sur vous pour vous en charger – c'est votre métier, après tout. Si vous refusez poliment sa proposition en lui expliquant que vous n'avez aucun problème pour inventer des sujets de roman (ce serait même le contraire !), il sera offusqué. Comment osez-vous lever le nez sur son magnifique cadeau ? Non, mais, pour qui vous prenez-vous ?

Les plus tenaces de ces lecteurs vous raconteront quand même leur histoire, persuadés que vous changerez d'idée quand vous l'aurez entendue. Si vous n'avez pas trouvé le moyen de vous défiler en prétextant un rendez-vous important, vous en serez quitte pour entendre leur récit qui sera, la plupart du temps, d'une navrante banalité.

Un roman peut très bien être basé sur une histoire vécue. Si cette histoire est intéressante, pourquoi pas ? Mais si l'auteur m'assure au départ que tout ce qu'il raconte est absolument et rigoureusement vrai, je le considérerai comme le pire des menteurs – du genre qui se croient eux-mêmes – et je lui conseillerai de consulter un psychologue.

Si j'écrivais mon autobiographie et que vous me laissiez la plus totale liberté, je pourrais enfiler des dizaines d'anecdotes prouvant hors de tout doute que je suis une personne intelligente, généreuse, courageuse, sage, honnête et peut-être un peu vaniteuse, mais qui n'a pas ses petits défauts ? Je pourrais aussi trouver quantité de preuves montrant que je suis stupide, rancunier, radin, lâche, malhonnête, et ainsi de suite. Peut-être même que j'aurais recours pour cela aux mêmes faits, présentés différemment. Si mille personnes écrivaient autant de biographies, j'obtiendrais de la même façon autant de portraits différents. Lequel serait le vrai ?

Vous avez envie de vous inspirer de personnes que vous connaissez ou de votre propre vie pour écrire une histoire ? Allez-y ! Vous avez plutôt envie d'inventer ? Ne vous gênez surtout pas ! Ce qui en sortira sera peut-être encore plus réel que de vraies personnes : pour moi comme pour des millions de lecteurs, Harry Potter, le capitaine Haddock et le marsupilami existent vraiment.

* * *

Quand on lui demandait si Tintin existait pour vrai, Hergé répondait : « Bien sûr qu'il existe... dans mon imagination. »

* * *

Inventing Anna est une série télévisée qui raconte l'histoire d'une jeune femme qui a réussi à se faire passer pour une riche héritière. À force de mensonges, elle a fait de sa vie un véritable roman. Au début de chaque épisode, on précise que « Toute cette histoire est complètement vraie… sauf les parties qui sont totalement inventées. » J'adore cette mise en garde !

* * *

Le prochain chapitre s'inspire d'une histoire vécue. Pour vrai.

19
Oscar

— C'était une blague, madame la juge. Rien qu'une blague d'ados qui s'ennuient et qui déconnent un peu. Une blague qui a mal tourné, c'est vrai, mais nous n'avons jamais voulu faire de mal à qui que ce soit, bien au contraire ! C'était un pantin, madame la juge ! Un pantin ! Une marionnette grandeur nature ! Nous voulions rire un peu, c'est tout ! Comment aurions-nous pu deviner ce qui allait arriver ? Avoir su que les gens seraient si crédules...

Je vais commencer par le commencement, d'accord. Oui, je comprends. Vous avez raison.

J'étais chez mon ami Xavier. Il habite tout près de chez moi. Je le connais depuis toujours. Tout le monde nous appelle les jumeaux, même si nous n'avons aucun lien de parenté. On ne peut pas dire non plus que nous nous ressemblons : Xavier est beaucoup plus grand, il est Noir, et...

Vous n'avez pas besoin de ce genre de détail, oui, je comprends. M'en tenir aux faits, d'accord. Nous étions donc dans le garage, chez Xavier, en train de réparer nos vélos. Il faut que je vous dise que le père de Xavier est mécanicien. Il est du genre à conserver de vieux moteurs de réfrigérateurs au cas où il pourrait utiliser certaines pièces pour rafistoler sa motoneige. Xavier tient de son père : il est capable de démonter une transmission et de la remonter les yeux fermés.

Comment dites-vous ? Je ne suis pas en train de dire que c'est Xavier qui a eu l'idée de faire ce pantin. Si l'idée vient de lui, je l'ai immédiatement trouvée emballante, ça, c'est sûr. C'était *notre* idée. Une idée des jumeaux.

Nous étions donc dans son garage, dans lequel on trouve des pièces détachées d'à peu près n'importe quoi et tous les outils qu'il faut pour les découper, les souder ou même les faire fondre.

Nous avons donc eu l'idée de nous bricoler un pantin. Un cadre de vélo, des câbles de frein, un enjoliveur de roue pour la tête, deux réflecteurs rouges à la place des yeux... Il avait à peu près la grandeur d'un être humain, on pouvait faire bouger ses bras et ses jambes, mais il n'y avait pas de quoi faire peur à qui que ce soit, madame, pas même à un enfant. Ça n'avait rien à voir avec un *Frankenstein mécanique*, comme je l'ai lu dans le journal !

On l'avait d'ailleurs appelé Oscar, c'est pour dire ! Si on avait voulu créer un monstre épeurant, on lui aurait trouvé un autre nom !

Je répète qu'on l'a fabriqué pour s'amuser, c'est tout, et on n'avait aucun plan de carrière pour lui. On l'a installé dans un coin du garage, et il est devenu une sorte de mascotte. On parlait avec lui quand on passait par là, on lui racontait des histoires, on lui inventait un passé... Il est devenu notre Pinocchio.

Ça a duré quelques semaines, puis le père de Xavier nous a demandé de nous en débarrasser. Oscar prenait trop de place dans son garage, et ça le gênait.

Ça semble bizarre, dit comme ça, mais nous nous étions attachés à lui. Plutôt que de le démantibuler, nous avons décidé de le déménager chez moi : de la place, j'en avais à revendre dans le sous-sol de la maison de mes parents.

Xavier a pris Oscar sur ses épaules, et nous l'avons emmené en exil.

Nous n'avons pas pensé une seconde qu'on pourrait confondre notre mascotte avec un fantôme. Mais c'était le soir, il pleuvassait, le ciel était sombre et nous passions devant un cimetière... Il faut dire aussi que Xavier est très grand et qu'il tenait Oscar sur ses épaules, ce qui lui donnait des allures de géant. Les yeux d'Oscar étaient des réflecteurs, ses bras et ses jambes se balançaient librement... Vu de loin, et éclairé par les phares d'une automobile ou d'un camion, il pouvait peut-être ressembler à une apparition qui flottait dans les airs. C'est ce qui a dû arriver : le lendemain, la rumeur s'est mise à courir dans le village. Quelqu'un avait vu quelqu'un qui avait entendu dire par quelqu'un d'autre qu'un spectre avait été aperçu près du cimetière.

Quand la rumeur est parvenue à nos oreilles, nous n'avons même pas fait le rapport avec notre Oscar, qui dormait tranquillement dans le sous-sol de ma maison.

C'est quand nous avons vu la nouvelle, dans le journal local, que nous avons réalisé ce qui s'était passé.

Des lecteurs nous ont signalé la présence d'une étrange apparition, dans la nuit de jeudi à vendredi, tout près du cimetière.

Ce n'était qu'un entrefilet, rédigé sur un ton sceptique. Le journaliste expliquait avoir reçu des appels provenant de trois sources différentes. Les témoins parlaient tous les trois d'une sorte de spectre qui semblait flotter dans les airs, à quelques pieds du sol.

Ce n'est qu'à ce moment-là que nous avons compris ce qu'ils avaient vu.

C'est aussi à ce moment-là que nous avons décidé de nous amuser un peu.

Deux semaines plus tard, Oscar faisait la première page du journal local.

Il faudrait attendre encore une semaine pour qu'il fasse sa première victime.

* * *

Une histoire presque en tous points semblable a eu lieu à Iberville, au Québec, il y a plus de vingt ans. Des ados s'étaient amusés à fabriquer un pantin de bois sur lequel ils avaient fixé deux réflecteurs rouges à la hauteur des yeux. Ils avaient ensuite pendu leur créature sous un viaduc, de sorte que les automobilistes croyaient voir une apparition qui flottait dans les airs.

Leur blague a pris une ampleur insoupçonnée. La rumeur de la présence d'un fantôme s'est répandue à une vitesse folle, jusqu'à leur valoir la première page du *Canada Français*, le journal local.

C'était bien sûr une très mauvaise blague. Imaginez un peu ce qui se serait arrivé si un automobiliste, pris de panique, avait frappé le pilier du viaduc.

Je ne crois pas que leur blague avait eu des conséquences aussi dramatiques. D'après mon souvenir, les jeunes avaient avoué être les auteurs de ce canular, et le ballon s'était dégonflé.

Ce fait divers m'a fasciné. La preuve, c'est que je m'en souviens encore, plus de vingt ans plus tard.

« Quel bon début de roman », m'étais-je dit.

Imaginons qu'une automobiliste, affolée, perde la vie à la suite de sa rencontre tragique avec ce supposé fantôme.

Imaginons les remords qui rongent les deux ados. Vont-ils se livrer à la police ? Comment réagiront leurs parents ?

Et le journaliste qui a propagé cette nouvelle ? N'est-il pas un peu coupable, lui aussi ?

Imaginons maintenant que les policiers fassent une perquisition chez notre ado, et qu'ils ne trouvent aucune trace d'Oscar.

Un des parents l'aurait-il fait disparaître ?

Les deux ados auraient-ils inventé tout cela ?

Et si Oscar avait de lui-même décidé de disparaître ?

Et si... Et si... Et si... Vous voulez inventer une histoire ? Deux mots suffisent : *et si...*

* * *

Madame Bovary est un des grands romans de la littérature française et mondiale. Il raconte l'histoire de l'épouse d'un médecin qui trompe son mari et finit par se suicider. Si vous avez envie de lire quelque chose de drôle, je vous suggère de commencer par un autre livre que celui-là. Si je vous en parle ici, c'est simplement pour mentionner que Gustave Flaubert, son auteur, se serait inspiré pour l'écrire de faits divers qu'il aurait lus dans les journaux.

Alexandre Dumas, un autre grand écrivain français, se serait lui aussi servi d'un fait divers pour écrire *Le Comte de Monte-Cristo*. Cette histoire l'a tellement intéressé qu'il en a tiré un roman de près de 3 000 pages !

Truman Capote a de la même façon écrit un roman passionnant, intitulé *In Cold Blood* (*De sang-froid*), qui raconte un quadruple meurtre ayant frappé une famille de fermiers du Kansas. Il a travaillé pendant cinq ans sur ce livre, qui ressemble plus à une longue enquête policière qu'à un roman. Obsédé par cette histoire, il s'est rendu sur les lieux du crime, il a interrogé des témoins, consulté des rapports de police et même rencontré les deux assassins en prison.

Paru en 1966, ce livre a connu un succès considérable et a valu à Truman Capote gloire et richesse.

La morale de cette histoire, c'est qu'il ne faut pas laisser traîner de journaux dans la maison d'un romancier !

20
Zombies en aérosol

Paul McCartney a souvent raconté comment il a composé *Yesterday*, un des plus grands succès des Beatles. Il s'est réveillé, un bon matin (et c'était vraiment un excellent matin!) avec cette mélodie en tête. Il en avait rêvé pendant la nuit, tout bonnement.

Au cours des jours suivants, il a siffloté ces quelques notes à ses amis: «Est-ce que ça vous rappelle quelque chose?» leur demandait-il. Il était en effet persuadé qu'il s'était tout simplement souvenu d'un air qu'il avait déjà entendu à la radio, dans un film ou dans une comédie musicale.

«Ça ne me dit rien, mais c'est joli!» lui répondaient ses amis.

Comme tout le monde avait la même réaction, il a fini par admettre que c'était bel et bien une création originale. Il a alors écrit les paroles, enregistré le disque et le monde entier s'est mis à chanter *Yesterday, all my troubles seemed so far away…*

Si on se fie au *Livre Guinness des records*, il s'agit de la chanson la plus reprise de tous les temps et la plus souvent jouée à la radio partout sur la planète. Cette mélodie, qui ne dure que deux minutes et cinq secondes, a dû rapporter quelques millions de dollars à son auteur… et même à Ringo Starr, le batteur des Beatles, qui ne joue pourtant pas sur ce morceau. Si Paul McCartney avait pris sa retraite à ce moment-là, il aurait pu vivre de ses droits pour le reste de ses jours. Voilà qui n'est pas si mal pour quelques notes de musique apparues dans un rêve !

Une question me hante depuis que j'ai pris connaissance de cette histoire : pourquoi est-ce que ce n'est pas *moi* qui ai rêvé de cette mélodie, un an ou deux avant Paul ? Quelques notes de musique auraient fait de moi un millionnaire ! Ça donne à rêver, et c'est le cas de le dire !

La vérité, c'est qu'il est à peu près impossible qu'une telle mélodie apparaisse comme par magie dans mon cerveau pendant la nuit, et aurais-je voulu la chanter à mes amis à mon réveil que personne ne m'aurait assuré qu'elle était jolie : je chante faux. Je n'aurais sûrement pas réussi non plus à composer des paroles qui se marient si bien à cet air, et encore moins à trouver les accords et à imaginer une orchestration.

Paul McCartney est un musicien que plusieurs personnes s'accordent à considérer comme un génie. Quand il a rêvé de cette chanson, il y avait déjà une dizaine d'années qu'il en composait avec succès. Son cerveau était en quelque sorte *programmé* pour créer des mélodies et continuait à travailler même pendant son sommeil. Ce n'est donc pas un hasard si cette chanson a abouti dans ses rêves plutôt que dans les miens !

Je ne suis certainement pas aussi doué pour écrire des romans que Paul l'est pour composer des chansons, mais il m'arrive assez souvent de rêver de personnages, de situations ou de répliques intéressantes pour des histoires sur lesquelles je travaille. Si je m'endors avec un problème en tête, je me réveille parfois avec une solution. Elle m'apparaît parfois pendant que je dors, mais souvent aussi pendant cette période de rêvasserie confuse qui précède le sommeil. Cela ne m'arrive cependant jamais quand je n'ai pas d'abord écrit quelques pages de mon roman. Pour qu'il y ait une solution, il faut d'abord qu'il y ait un problème !

Plusieurs de mes amis écrivains m'ont raconté avoir vécu des expériences semblables. C'est une sensation très agréable que de trouver ainsi une idée alors qu'on n'a même pas l'impression de travailler. Elle semble être tombée du ciel, tel un cadeau des dieux ou des muses. C'est la conception que plusieurs personnes se font de ce qu'elles appellent l'*inspiration* : l'artiste ou le savant se promène dans la nature, et soudain, tchouf !, l'idée géniale lui tombe dessus. Il n'a plus qu'à rentrer chez lui, écrire son chef-d'œuvre et devenir célèbre.

Il s'agit évidemment d'une caricature grossière. Thomas Edison a dit un jour que le génie était fait de 1 % d'inspiration et de 99 % de transpiration. C'est sûrement vrai, mais il est important de noter qu'il parlait ici de génie. Pour les simples mortels qui ne font pas partie de cette illustre confrérie, le pourcentage accordé à la transpiration doit évidemment être ajusté à la hausse. Il faut enfin préciser que l'inspiration ne nous envoie pas que des idées géniales et qu'il importe de faire preuve de discernement.

La nuit dernière, j'ai par exemple rêvé que j'avais inventé une bombe aérosol qui contenait des zombies. Il suffisait d'appuyer sur le bouton pour les faire apparaître sur un mur. Ils n'étaient cependant pas très inquiétants puisqu'ils n'avaient que deux dimensions.

J'ai vite écarté cette idée, évidemment. Si vous la voulez, je vous la cède volontiers, mais je suis sûr que vous pouvez trouver mieux.

21
Et si...

Avez-vous déjà rêvé de marcher dans la rue, par un beau jour d'été (ou sur le bord d'une plage, par une froide matinée d'hiver), et de trouver un portefeuille ou un sac à main ? Je parle ici d'un rêve éveillé, bien sûr, et le portefeuille peut tout aussi bien être une mallette, une boîte de carton ou une simple enveloppe.

Allons-y pour le portefeuille. Que contient-il ? Des billets de mille dollars, que vous allez immédiatement dépenser dans un centre commercial ? Un billet de loterie gagnant ? Vous devenez millionnaire et vous achetez une île dans les Antilles, où vous passez le reste de vos jours à boire des cocktails dans un ananas évidé ? On peut certainement trouver mieux, non ? Il suffit pour cela de prononcer la formule magique : et si...

Et si, plutôt que de l'agent ou un billet de loterie, le portefeuille contenait différents objets... Un permis de conduire, sur lequel se trouveraient l'adresse du propriétaire et sa photo. Une carte professionnelle d'une société pharmaceutique, au dos de laquelle serait griffonnée une inscription incompréhensible, une sorte de formule chimique... Ou alors les plans d'une arme terrible qui pourrait faire exploser la planète ?

Après quelques hésitations, vous décidez d'aller remettre le portefeuille à son propriétaire. Il habite tout près. Dans une maison luxueuse et un peu inquiétante ? Une simple maison mobile ? Un condo situé dans un immeuble qui a mauvaise réputation dans le quartier ?

Vous trouvez donc le propriétaire légitime du portefeuille, et celui-ci est sidéré par votre honnêteté.

— Vous êtes celui que je cherchais ! s'exclame-t-il. Avez-vous un passeport en règle ? Nous partons immédiatement pour Paris (ou Rome, ou New Delhi). J'ai une mission à vous confier.

À peine a-t-il prononcé ces mots qu'il tombe raide mort.

C'est plus intéressant qu'une journée au centre commercial, non ?

Si vous aimez ce genre d'histoire, allez-y ! Les possibilités sont infinies. J'aurais peur pour ma part d'être étourdi à force de la voir rebondir dans toutes les directions.

Essayons quelque chose de plus simple et de plus réaliste. L'objet trouvé est un sac à main qui ne contient que des billets de banque. Le sac lui-même est d'un modèle très banal et notre héros n'a aucun moyen de retrouver sa propriétaire. Que devrait-il faire? Garder l'argent pour lui? Aller au poste de police le plus près?

Il choisit la deuxième option: peut-être que la propriétaire du sac a rapporté un objet perdu, ou volé? Peut-être que les policiers trouveront ses empreintes digitales sur ce sac? Sait-on jamais?

Mais il n'a pas le temps de faire trois pas qu'il entend des sirènes provenant de partout autour de lui. Il est bientôt cerné par une dizaine de voitures de police, tous gyrophares allumés. Des policiers armés l'immobilisent brutalement.

— Vous êtes en état d'arrestation. Tout ce que vous direz pourra et sera retenu contre vous...

Le voilà bientôt accusé de meurtre.

Et si... et si on imaginait autre chose qu'un cauchemar? Je viens d'avoir une idée que j'aimerais développer un peu, histoire de voir où ça peut nous mener.

22
Café gratuit

Le soleil vient à peine de se lever lorsque Patrick emprunte la piste de jogging qui traverse le grand parc du centre-ville. C'est habituellement un endroit idéal pour courir, mais nous sommes le lendemain de la fête nationale et les lieux sont dans un état lamentable : on dirait que des vandales se sont amusés à jeter toutes les poubelles par terre, à éventrer les sacs verts et à y mettre le feu. Des goélands, des rats et des écureuils se disputent des restes de pizzas. Les seuls humains sont des sans-abris, à la recherche de cannettes et de bouteilles consignées.

Dégoûté par ce qu'il voit, Patrick ralentit sa course. Il arrête même net de courir quand il aperçoit des seringues abandonnées sur un banc.

« J'espère qu'on viendra nettoyer le parc le plus vite possible, se dit-il. S'il fallait que des enfants aient l'idée de jouer avec ça... »

« Peut-être devrais-je les enlever moi-même, avant qu'arrive un accident ? » se demande-t-il. Mais il ne peut tout de même pas nettoyer le parc au complet...

Il est sur le point de rebrousser chemin et de rentrer chez lui quand il aperçoit ce qui ressemble à un sac à main, par terre.

Il hésite, se penche, ouvre le sac, en examine le contenu : un billet de vingt dollars, une carte permettant d'obtenir un café gratuit dans un restaurant (à condition d'en acheter neuf autres) et enfin un permis de conduire appartenant à une femme assez âgée, au regard triste. D'après son adresse, elle habite dans un parc de maisons mobiles, à l'autre bout de la ville. « Le billet de vingt dollars représente sans doute beaucoup pour cette femme », se dit Patrick. Peut-être même que le café gratuit lui fera du bien... Faute de nettoyer le parc, il décide de lui rapporter le sac à main. Ce sera sa bonne action de la journée.

Il rentre chez lui, prend son vélo et traverse la ville pour atteindre enfin le parc de maisons mobiles. Il frappe à l'adresse indiquée sur le permis de conduire.

Une femme qui ressemble vaguement à la détentrice du permis lui ouvre à moitié la porte.

Tout chez elle évoque la pauvreté. La robe de chambre élimée. Les pantoufles trouées. La fumée de cigarette. Les cheveux qui mériteraient une teinture, le maquillage qui a coulé. Elle a l'air d'avoir passé la nuit à boire, ce qui est sans doute le cas.

Patrick lui montre le sac, lui explique la situation : jogging, sac trouvé dans le parc...

Elle n'a pas l'air de comprendre ce qu'il lui dit. Peut-être qu'elle ne parle pas français ?

Elle finit par allumer et lui arrache le sac des mains. Elle l'ouvre dans un geste enragé. À sa grande surprise, le billet de vingt dollars est encore là, la carte pour le café gratuit aussi.

Elle lance un regard bizarre à Patrick : « Quelle est cette espèce d'énergumène ? » a-t-elle l'air de se demander.

Elle lâche un merci rauque, et lui ferme la porte au nez.

Patrick attend quelques instants, puis finit par hausser les épaules et remonte sur son vélo.

Il est un peu déçu, bien sûr : il n'espérait pas une récompense, mais un peu de reconnaissance aurait été bienvenue.

« J'ai fait ce que j'avais à faire », se dit-il.

Il est sur le point de quitter le parc quand il entend une faible voix, loin derrière lui.

— Attends ! dit la voix.

Il arrête, se retourne. Une jeune fille le rejoint bientôt. Elle a le souffle court pour avoir couru.

— Je voudrais... m'excuser... au nom de ma mère, réussit-elle à dire. Elle... elle passe... de mauvais moments... C'est super, ce que tu as fait...

Patrick ne sait quoi répondre. Il a le souffle coupé, et ce n'est pas à cause de la course.

— Je m'appelle Clara, dit la jeune femme.

— Moi, c'est Patrick, réussit-il à articuler. Je t'attendais depuis toute ma vie.

* * *

Clara est très jolie, Patrick, gentil et serviable... Nous avons une belle histoire d'amour en perspective. Pour en faire un roman, il faudrait sans doute que je leur invente quelques obstacles pour rendre leur histoire intéressante. La mère de Clara pourrait par exemple jouer le rôle de la méchante sorcière, qui cherchera à mettre des bâtons dans les roues de nos amoureux, par simple jalousie...

À partir de maintenant, les personnages les plus intéressants de cette histoire ne seront plus Clara ni Patrick, auxquels les lecteurs s'identifieront facilement, mais plutôt la mère de Clara. Il n'est pas question en effet de l'abandonner à son pauvre sort : quand on a créé un personnage, il faut en prendre soin, même s'il n'est pas sympathique de prime abord – *surtout* s'il n'est pas sympathique !

Un être humain qui est cruel sans raison, par pure méchanceté, n'est pas crédible, et il n'y a rien que je trouve plus détestable qu'un romancier qui invente un personnage dans le seul but de le mépriser.

Essayez d'imaginer le passé de la mère de Clara, en cherchant à la comprendre. Elle a déjà été jeune et pleine d'espoir, elle aussi. Qu'est-ce qui a bien pu se passer pour qu'elle sombre ainsi ? À quoi ressemble sa vie ? (N'oubliez surtout pas son café gratuit !)

Cet exercice fera de vous un bien meilleur écrivain et peut-être même un meilleur être humain !

23
La première phrase

Snoopy, le célèbre chien créé par Schulz, se prenait parfois pour un pilote d'avion héros de la Première Guerre mondiale, parfois pour un vautour, un joueur de hockey, un astronaute, un avocat, un danseur, un chef scout suivi par une patrouille d'oiseaux... Bref, son imagination semblait inépuisable, mais elle s'arrêtait net quand il devenait apprenti écrivain. Tous ses romans commençaient en effet de la même manière : « C'était une nuit sombre et orageuse. »

Le pauvre Snoopy ne pouvait sans doute pas savoir que cette phrase, utilisée pour la première fois en 1830 par un obscur auteur anglais, est considérée depuis ce temps comme le pire des clichés, du moins dans le monde anglophone. J'ai toujours pensé pour ma part que ce jugement était injuste : la phrase n'est peut-être pas très originale, mais on pourrait certainement trouver pire !

Croyez-le ou non, le Département d'anglais de l'Université de San José, en Californie, organise chaque année un concours de la plus mauvaise première phrase d'un roman. Voilà le genre de concours qu'on espère ne jamais gagner.

Mais revenons à Snoopy. Les éditeurs refusaient donc tous ses manuscrits, ce qui est encore plus injuste. Si j'avais reçu un roman écrit par un beagle aussi sympathique, je l'aurais certainement publié !

Ces échecs répétés ne semblaient pas contrarier Snoopy, qui se remettait chaque fois à l'ouvrage. Ce chien était vraiment doué pour le bonheur.

S'il y a une chose certaine, c'est qu'il faut prendre un soin particulier de la première phrase d'un roman, sans quoi le lecteur risque de décrocher. L'occasion de faire une bonne première impression ne se présente jamais deux fois... à moins d'inventer une machine à voyager dans le temps, évidemment ! J'y ai rêvé très souvent !

Une des premières phrases les plus souvent citées par les professeurs de littérature est celle qui ouvre un roman intitulé *À la recherche du temps perdu*, de Marcel Proust. Ce roman, qu'on appelle plus simplement *La recherche*, est souvent considéré comme un des meilleurs livres de tous les temps. Son incipit (c'est ainsi qu'on appelle la première phrase quand on veut avoir l'air savant) est une merveille de simplicité : « Longtemps, je me suis couché de bonne heure. »

Huit mots suffisent pour créer une légère tension chez le lecteur, qui se demande peut-être ce qui a pu se produire pour que le narrateur ait changé ses habitudes de sommeil, si tel est le cas. Il devra être patient pour obtenir une réponse : Marcel Proust est réputé pour ses phrases interminables, qui s'étendent souvent sur plus d'une page, et ce roman compte plus de 4 000 pages ! Je n'ai jamais réussi pour ma part à aller plus loin que le premier des sept tomes.

L'étranger, un roman d'Albert Camus, est considéré lui aussi comme un des chefs-d'œuvre de la littérature mondiale. Il est beaucoup plus court (même pas 200 pages) et son début est lui aussi souvent cité comme un des plus efficaces : « Aujourd'hui, maman est morte. Ou peut-être hier, je ne sais pas. » Comment ça, *je ne sais pas* ? Il devrait le savoir, non ? On entre ainsi directement dans la tête d'un personnage qui semble n'avoir aucune émotion.

En voici un dernier incipit, qui nous vient du *Comte de Monte-Cristo*, d'Alexandre Dumas : « Le 24 février 1815, la vigie de Notre-Dame de la Garde signala le trois-mâts le *Pharaon*, venant de Smyrne, Trieste et Naples. » On veut savoir la suite, non ? Qu'y a-t-il dans ce mystérieux bateau ?

Il est sans doute inconvenant que je me cite moi-même après avoir évoqué de grands noms de la littérature, mais je le ferai quand même. C'est moi qui écris, c'est moi qui décide ! Voici quelques-unes de mes premières pages préférées.

« L'adolescence est une maladie qui s'attrape généralement vers treize ou quatorze ans. »

« On s'habitue vite à avoir des électrodes sur la tête. »

« Il n'y avait rien que Guillaume détestait plus que le premier jour de classe. »

Et voici enfin ma favorite entre toutes : « Je déteste lire[2]. »

* * *

Vous êtes en panne d'imagination ? Voici quelques premières phrases que vous pourriez utiliser. Elles peuvent aussi se retrouver au milieu ou à la fin de votre livre, et même ne pas s'y retrouver du tout ! Vous êtes libre, absolument et totalement libre !

Tout cela a commencé demain matin.

Qu'on me comprenne bien : j'aime beaucoup ma famille.

Les assassinats, c'est comme les millions : c'est le premier qui est le plus difficile.

---

2. Ce sont respectivement les premiers mots de *Klonk*, *Neuro*, *Guillaume* et *La piste sauvage*, tous publiés aux Éditions Québec Amérique.

Le jour de mon centième anniversaire, j'ai décidé de tout recommencer.

Ce n'est quand même pas ma faute si tout le monde veut me tuer.

Tout allait si bien, pourtant !

J'ai toujours rêvé d'être orphelin.

Après avoir terminé un doctorat en médecine, un autre en biochimie et un troisième en astrophysique, j'ai décidé qu'il était temps de passer aux choses sérieuses.

Le moment est venu de libérer ma conscience.

Tant pis.

Non, non et non !

Mettons les choses au clair : je n'ai jamais voulu rejoindre les rangs de l'Organisation.

JE N'AVAIS QU'UN MOT À DIRE – UN SEUL ! – ET JE NE L'AI PAS DIT.

Clyde était persuadé que le monde entier lui en voulait, à l'exception d'une seule et unique personne, qu'il lui fallait maintenant trouver.

Elle s'appelait Océane, et c'est tout ce que j'avais besoin de savoir.

Audrey savait très bien sur quel pilier du pont il fallait placer la dynamite pour causer un maximum de dommages.

Ma grand-mère, qui avait le don d'arrêter le sang de couler par la force de sa pensée et de nous tomber sur les nerfs, m'avait avertie : à mon seizième anniversaire, je deviendrais invisible, mais seulement pendant les années bissextiles.

— Tu as entendu aussi bien que moi ce qu'a dit le notaire, Max : personne ne peut t'obliger à accepter cet héritage empoisonné.

Si vous avez une bonne mémoire, vous aurez peut-être reconnu la première phrase de mon histoire de chalet, que j'ai commencée au chapitre 6 et que je n'ai jamais terminée. À vous de jouer !

Table des matières

Du même auteur chez d'autres éditeurs

Album

Elvis Tremblay, Les 400 coups, 2018.

Quand je serai grand, Hurtubise, 2012.

Débile toi-même! et autres poèmes tordus, Les 400 coups, 2007.

Le Vilain Petit Canard, Éditions Imagine, 2005.

Voyage en Amnésie et autres poèmes débiles, Les 400 coups, 2004.

Tocson, Dominique et compagnie, 2003.

Madame Misère, Les 400 coups, 2000.

L'Été de la moustache, Les 400 coups, 2000.

Jeunesse

Émile et Nathan – Attention… ça dérape!, Éditions FouLire, 2021.

Un festin pour les chiens, La courte échelle, 2021.

Ça leur apprendra à sortir la nuit, avec Martine Latulippe, La courte échelle, 2020.

La langue au chat et autres poèmes pas bêtes, Les 400 coups, 2020.

Branchez-vous et autres poèmes biscornus, Les 400 coups, 2019.

Tu n'as rien à craindre des cimetières, La courte échelle, 2018.

Les vieux livres sont dangereux, La courte échelle, 2017.

Le Champ maudit, La courte échelle, 2016.

Mes parents sont gentils mais… tellement mauvais perdants!, Éditions FouLire, 2008.

Deux heures et demie avant Jasmine, Les Éditions du Boréal, 1991.

Zamboni, Les Éditions du Boréal, 1990.

Corneilles, Les Éditions du Boréal, 1989.

Série

Hop, Éditions FouLire, 2021-2022. (3 titres)

François et moi, Fonfon 2020. (4 titres)

Antoine, l'ami des chats, Éditions FouLire, 2019-2021. (6 titres)

La Clique du camp, avec Alain M. Bergeron, Martine Latulippe et Johanne Mercier, Éditions FouLire, 2019-2022. (8 titres)

Muso, Éditions FouLire, 2017-2019. (4 titres)

Super Hakim, Éditions FouLire, 2016-2018. (6 titres)

Le livre noir sur la vie secrète des animaux, Éditions FouLire, 2015-2019. (6 titres)

La Bande des Quatre, avec Alain M. Bergeron, Martine Latulippe et Johanne Mercier, Éditions FouLire, 2015-2018. (5 titres)

Poésies pour zinzins, Éditions FouLire, 2014-2017. (5 titres)

Zak et Zoé, Éditions FouLire, 2010-2017. (16 titres)

La Ligue Mikado, Scholastic, 2010-2011. (2 titres)

David, Dominique et compagnie, 2000-2008. (8 titres)

Adulte

Le deuxième verre, Druide, 2022.

Bonheur fou, Les Éditions du Boréal, 1990.

L'Effet Summerhill, Les Éditions du Boréal, 1988.

Benito, Les Éditions du Boréal, 1987; nouvelle édition, 1995.

La Note de passage, Les Éditions du Boréal, 1985; nouvelle édition, Bibliothèque québécoise, 1993.

François Gravel

Auteur de plus de 150 livres récompensés par de nombreuses distinctions, François Gravel possède le rare talent de s'adresser avec le même plaisir contagieux à tous les publics, jeunes et moins jeunes. Faisant preuve d'un humour inimitable, il sait aussi être tendre ou grave selon les œuvres. Chez Québec Amérique, il signe plusieurs livres marquants, parmi lesquels *Ostende*, *La Cagoule* et la série *Klonk*.

Du même auteur chez Québec Amérique

Adulte

À vos ordres, colonel Parkinson !, Hors collection, 2019.

La petite fille en haut de l'escalier, Hors collection, 2018.

Idées noires, Hors collection, 2016.

Toute une vie sur les bancs d'école, Hors collection, 2016.

Nowhere man, coll. Tous Continents, 2013.

À deux pas de chez elle, coll. Tous Continents, 2011.

Voyeurs, s'abstenir, coll. Littérature d'Amérique, 2009.

Vous êtes ici, coll. Littérature d'Amérique, 2007.

Mélamine Blues, coll. Littérature d'Amérique, 2005.

Adieu, Betty Crocker, coll. Littérature d'Amérique, 2003.

Je ne comprends pas tout, coll. Littérature d'Amérique, 2002.

Fillion et frères, coll. Littérature d'Amérique, 2000 ; nouvelle édition, coll. QA compact, 2003.

Vingt et un tableaux (et quelques craies), coll. Littérature d'Amérique, 1998.

Miss Septembre, coll. Littérature d'Amérique, 1996.

Ostende, coll. Littérature d'Amérique, 1994 ; coll. QA compact, 2002 ; nouvelle édition, coll. Nomades, 2015.

Les Black Stones vous reviendront dans quelques instants, coll. Littérature d'Amérique, 1991.

Fiches d'exploitation pédagogique

Elles accompagnent une grande partie de nos livres!
Retrouvez-les sur notre site Internet à la section Enseignants :

quebec-amerique.com

Le Retour du cannibale – Des histoires qui mijotent
a été achevé d'imprimer en août 2022 sur les presses de l'imprimerie Gauvin,
au Québec, Canada, pour le compte des Éditions Québec Amérique.